Que reste-t-il
de la culture française ?

suivi de

Le souci de la grandeur

Donald Morrison

Que reste-t-il
de la culture française ?

Traduit de l'américain par Michel Bessières

suivi de

Le souci de la grandeur

par

Antoine Compagnon

DENOËL

Que reste-t-il
de la culture française ?

1

Hollywood a mauvaise réputation en France. La capitale du cinéma américain est assimilée aux thrillers formatés, aux films grand public précédés d'un véritable matraquage publicitaire, à la poudre aux yeux des effets spéciaux, à la violence gratuite. Pourtant, Hollywood cache un secret qu'il est temps de révéler : la grande majorité des quelque cinq cents longs métrages qui en sortent chaque année sont réalisés pour un budget modeste tout en étant intelligents et originaux.

Prenons un exemple parmi tant d'autres : *Thelma et Louise*. Ce film sur la cavale de deux copines, réalisé par Ridley Scott en 1991 pour 16 millions de dollars — somme qui n'a rien d'astronomique —, a été nommé six fois aux Oscars et a obtenu celui du meilleur scénario. Comme tout bon film, *Thelma et Louise* sait ménager les rebondissements. Ainsi, dans une scène cruciale, Louise (Susan Sarandon) s'en prend à un homme un peu trop insistant avec son amie (Geena Davis) sur un parking. Le type se gausse de cette faible femme qui ne l'impressionne guère. Mal lui en prend, Louise sort un pistolet, tire et l'étend raide mort. Thelma, médusée, lance alors : « Je te parie qu'il ne s'attendait pas à *ça*. »

Je compatis au sort de ce pauvre garçon. Moi-même, je m'occupais de mes affaires — ou plutôt de celles de la France — quand une onde de choc née dans les tréfonds de l'opinion publique française m'a atteint au plexus solaire, aussi violemment que la balle du pistolet de Louise. J'aurais pourtant dû m'y attendre. J'aurais dû savoir qu'un Américain ne peut pas s'amuser à déshabiller du regard la puissance et la gloire de la culture française sans s'exposer à une réaction peu amène. J'aurais mieux fait de garder mes commentaires pour les dîners en ville et mes échanges d'e-mails avec le pays. Quelle idée, aussi, d'écrire un article intitulé « La mort de la culture française » et, circonstance aggravante, de le publier dans un magazine américain ! Mais, me berçant d'illusions, je m'imaginais que mes remarques seraient perçues par les lecteurs français dans l'esprit où je les livrais : des observations amicales et constructives à propos d'un pays que j'adore.

Quelle naïveté de ma part ! Quel manque de clairvoyance ! En un mot : combien j'ai été américain !

Ne savais-je donc pas que la culture est la vache sacrée de la vie publique française, le point sensible, si facilement irritable, de la fierté nationale ? Critiquer l'éthique du travail, le tabagisme, le régime fiscal, passe encore. Mais, qui que vous soyez, ne prononcez pas un mot négatif sur la culture en France. Et n'allez pas imaginer une seconde que vos remarques seront accueillies avec courtoisie, vos critiques jugées recevables. Vous vouliez vous rendre utile ? N'espérez pas qu'on vous comprenne. Dès qu'un étranger tente de rendre service en soulignant certaines, disons, imperfections au royaume de la culture française, il doit savoir que sa bonne volonté sera aussitôt fustigée.

Ma punition a été cuisante et publique. Dans les jours qui ont suivi la parution de mon article sur le déclin de la France en tant que puissance culturelle internationale dans l'édition européenne de *Time Magazine* datée du 3 décembre 2007[1], les médias français ont fait mugir les sirènes d'alarme comme

1. Reconnaissable au liséré rouge de sa couverture, *Time* est le plus ancien des magazines d'information hebdomadaires américains et toujours le plus largement diffusé, avec 4,5 millions d'exemplaires vendus dans le monde. Créé à New York, en 1923, par Henry Luce et Britton Hadden, il appartient au groupe Time-Warner Inc. Mon article a d'abord paru dans l'édition européenne puis dans l'édition asiatique, leur diffusion cumulée représente 800 000 exemplaires, dont à peu près 60 000 en France.

si une attaque aérienne se préparait. Tous les grands quotidiens nationaux et les chaînes de télévision du pays, à peu de chose près, se sont fait l'écho de cet article. Des hauts fonctionnaires, des mandarins et les journalistes des rubriques culturelles ont été dépêchés en première ligne pour réfuter mes affirmations. Un post de Didier Jacob sur son blog hébergé par le site du *Nouvel Observateur*, dont il est l'un des chroniqueurs littéraires, résume bien la tonalité des réactions : « Pour les Américains, the French culture est, à la fois, un objet de détestation et un objet de désir. Si une formule algébrique pouvait en résumer la quintessence, ça donnerait à peu près ça : De Gaulle + Sartre + la baguette + les seins de Sophie Marceau = la culture française. » Son post devait susciter des dizaines de réactions. La plupart dans cette veine : « Je ne connais pas l'auteur de cet article, mais je suis convaincu qu'il ne croit pas complètement à ce qu'il écrit. »

« Les États-Unis comptent maints chercheurs, érudits, penseurs, créateurs du plus haut niveau. Seulement, ils n'écrivent pas dans *Time* », railla Maurice Druon, vénérable commandeur des lettres françaises dans *Le Figaro*. Il m'accusa de confondre « comme la plupart de [m]on public, culture et divertissement[1] ». Pas moins de cinq articles ap-

---

1. Maurice Druon, « Non, la culture française n'est pas morte ! », *Le Figaro*, 4 décembre 2007.

puyaient, ce jour-là, la philippique de l'ancien secrétaire perpétuel de l'Académie française et participaient au courageux assaut patriotique du *Figaro* pour éviscérer mon article. Le correspondant du quotidien aux États-Unis partit en quête des preuves susceptibles d'illustrer la vitalité de la culture française au Nouveau Monde, mais il ne détecta guère d'activité en dehors de New York. D'autres journalistes du *Figaro* expliquèrent que les peintres français prospéraient à Londres, que les philosophes français jouissaient d'une réputation enviable dans le monde entier (aucun romancier, hélas, ne peut se targuer d'un statut équivalent), que les architectes français « tir[ai]ent leur épingle du jeu en imposant une image de qualité » et que les films français étaient populaires partout, sauf à l'étranger. La campagne lancée par *Le Figaro* — sur trois pleines pages, agrémentées de photos montrant les musiciens de Daft Punk coiffés de casques saugrenus ou encore Bartabas, le fondateur du théâtre équestre Zingaro, posant à côté d'un de ses chevaux — ne lésinait pas sur les moyens. Que penser de cette démesure ? Était-ce la reconnaissance, même subliminale, qu'un point névralgique était touché ?

Toujours dans *Le Figaro*, la galeriste Anne Faggionato, évoquant les nombreuses références factuelles de mon article, s'éleva contre « toutes ces pseudo-analyses, bien dans l'idée américaine de la production [qui] veulent se légitimer en citant

13

courbes et chiffres. Mais l'art ne se mesure pas ainsi, ces économétries sont absurdes et l'avenir le prouvera ». Dans *Libération*, Teresa Cremisi, PDG des éditions Flammarion, déplora quant à elle mon approche « mercantiliste » qui assimilerait culture et profits.

La fièvre s'empara logiquement du web : de bibliobs.fr jusqu'au site en vietnamien diendan.org, nombreuses furent les contributions au débat. Une intervention postée sur superfrenchie.com suscita cent soixante-quatre réponses, la plupart m'étrillant pour diverses erreurs ou omissions. La controverse rebondit même en dehors de l'Hexagone. L'écrivain américain Edward Champion, sur son site web edrants.com, me traita de « réponse culturelle de *Time Magazine* à Fox News », une qualification blessante pour tout journaliste digne de ce nom. Il alla jusqu'à suggérer que « Morrison n'a pas la moindre putain d'idée de ce dont il parle ». Dans la même veine, un lecteur du site de Momus, critique anglais de la pop-culture, posta cette observation raffinée : « Morrison s'est vraiment chié dessus. Gênant. Par chance, de nos jours, on ne trouve même plus *Time* dans la salle d'attente du dentiste. »

À son tour, la presse étrangère s'engouffra dans la brèche. Charles Bremner, le correspondant à Paris du *Times* de Londres, jugea outrancière mon analyse des faiblesses de la France. Le *Guardian* alla jusqu'à solliciter une contribution de Bernard-Henri

Lévy, lequel expliqua que mon article était plus révélateur de l'inquiétude de l'Amérique face à l'étiolement de sa puissance que du déclin français. Dans *Arab News*, le journaliste saoudien Iman Kurdi affirma : « Je suis non seulement en désaccord [avec Morrison] mais je me réjouis que la France garde son caractère distinctement français. »

Le quotidien espagnol *Avui* me demanda une interview. La chaîne LCI m'invita à débattre avec Olivier Poivre d'Arvor, directeur de Culturesfrance, qui avait signé une tribune dans *Le Monde* contestant mon point de vue. Plus tard, le même jour, je le retrouvai pour une nouvelle confrontation sur France 24 ; dans les deux cas, il se montra réfléchi et aimable. Je participai à une autre émission en compagnie du réalisateur Constantin Costa-Gavras, par ailleurs président de la Cinémathèque française ; du directeur de la rédaction de *Lire*, François Busnel ; de Jérôme Béglé, journaliste culturel à *Paris-Match*, et de Frédéric Martel, fondateur du site nonfiction.fr et producteur de l'émission « Masse critique » sur France Culture. Quelques-uns d'entre eux voulurent bien reconnaître certains mérites à telle ou telle observation de mon article, mais tous lui trouvèrent des insuffisances. Même l'ambassadeur de mon propre pays en France, Craig Stapleton, adressa une lettre à *Time*, exposant, entre autres arguties, que « la vitalité de la culture française ne peut se mesurer aux seules recettes du box-office de la semaine »

— comme quoi on peut être le représentant d'une administration Bush honnie et avoir une âme de redresseur de torts quand l'esprit français se sent attaqué. Le box-office n'était pas l'instrument de mesure que j'avais adopté, mais la plupart des commentateurs paraissent avoir ignoré ce détail, préférant se draper dans leur vertu, face à une attaque aussi outrageante contre le prestige de la France.

Pour le dire franchement, j'ai été abasourdi par l'ampleur et l'intensité des réactions qu'a provoquées mon article. Certains de mes détracteurs ont partagé cet étonnement. Pierre Assouline a ainsi écrit sur son blog : « Comment un article pareil a pu, dès le lendemain, susciter un tel emballement dans les médias français et provoquer de telles empoignades dans la blogosphère, c'est là un mystère que je ne m'explique pas. » John Brenkman, professeur au Baruch College, à New York, s'est quant à lui demandé si les Français ne prenaient pas la chose trop à cœur. Mon article, écrivit-il dans *Le Monde*, a « eu, en France, le même résultat que l'adaptation radiophonique de *La Guerre des mondes*, de H. G. Wells par Orson Welles, en 1938, au cours de laquelle le ton réaliste et convaincant du commentateur annonça à l'Amérique l'invasion martienne. Aujourd'hui, ce sont les Français qui sont persuadés d'une attaque américaine contre la culture française [...]. Autrement dit, la couverture de *Time* comme son article n'étaient qu'une supercherie dont le public, égaré à son tour par les médias français, a été la victime. "Un gogo naît tous les matins", avait coutume de dire Phineas Taylor Barnum, grand homme de spectacle devant l'Éternel... Dans l'épisode qui nous occupe, le gogo, pardonnez-moi, ce fut la France. Vous tous, mes amis français, avez avalé l'hameçon, le bouchon et la ligne. »

Au milieu de cette effervescence, je m'envolai pour New York, où je m'accordai quelques jours de répit. En mon absence, le débat se poursuivit avec le même mordant. La BBC, en me pistant jusque dans un restaurant de Manhattan, mit fin à mes vacances new-yorkaises. Au milieu des bruits d'assiettes et des échanges entre les serveurs, je dialoguai en direct avec John Lichfield, le correspondant parisien de l'*Independent*.

Tout bien considéré, le problème, me semble-t-il, tenait moins au contenu de mon article qu'à la couverture de ce numéro du magazine. L'image qui l'illustrait, signée du photographe londonien Pål C. Hansen, était un portrait très expressif du célèbre mime Marcel Marceau, au sommet de sa carrière, portant un regard désenchanté — tel qu'en portent les mimes — sur une fleur du même rouge que le cadre habituel de la couverture du magazine. Le choix était des plus pertinents : Marcel Marceau avait disparu quelques mois plus tôt — et avec lui un peu de l'âme de la France — ce qui concordait bien avec le ton navré et nostalgique que s'efforçait d'adopter mon article. Je n'étais pas le seul à en juger ainsi : Olivier Poivre d'Arvor trouva lui aussi que le mime Marceau avait sa place sur la couverture : « Il est vrai que, depuis quelques années, de la France, en matière de culture, faute d'en parler la langue, ce sont nos artistes silencieux qui ont fait du bruit chez vous : le mime Marceau, les silences abyssaux du commandant Cousteau, nos chorégraphes... Nous résistons avec notre sublime aphonie, notre gêne bégayée, au chahut, au brouhaha du monde, mais nous aimerions bien, encore un peu, modestement, à la française, vous impressionner[1] », expliqua-t-il dans sa « Lettre à nos amis américains » publiée par *Le Monde*. Quoi qu'on en pense, c'est une photo superbe, lisible et simple, classique dans sa composition, avec cette fleur rouge qui attire le regard. Elle n'est pas loin, je l'admets, du cliché. Tout comme les médias français résistent rarement à la tentation de représenter les Américains coiffés d'un chapeau de cow-boy et les Anglais d'un melon, la presse américaine cède, elle aussi, à ses propres penchants : les Français qu'elle montre portent volontiers le béret et le maillot marin à rayures. Mais cela ne change rien au pouvoir d'attraction de cette image.

1. Olivier Poivre d'Arvor, « Lettre à nos amis américains », *Le Monde*, 20 décembre 2007.

Pas plus, à mon grand dam, que le titre qui l'accompagnait : « La mort de la culture française ». Le sous-titre, rédigé dans le style direct caractéristique du journalisme américain, aggravait encore mon cas : « Qui peut citer le nom d'un artiste ou d'un écrivain français vivant qui ait une dimension internationale ?... OK. Mais ça va s'arranger. » Je n'avais pas écrit ces mots. Sur France 24, je suis allé jusqu'à expliquer, en forme de plaisanterie, que *Time*, comme de nombreuses sociétés américaines, avait opté pour les délocalisations et confiait désormais la rédaction de ses appels de couverture à un centre d'appel en Inde. Ce qui ne fit rire personne. En fait, ce titre avait été concocté par les responsables de la rédaction européenne du magazine, dans leurs locaux londoniens. Comme il est d'usage, ils ne m'ont pas consulté et je n'ai pas vu la couverture avant que le magazine ne soit en kiosque. Franchement, j'ai été plutôt surpris en la découvrant. Il n'était pas question de « mort » dans mon article mais de déclin et d'un possible sursaut. Alors que je ne l'avais pas encore vue, je rencontrai un journaliste de *Libération*, Édouard Launet, qui m'avait sollicité pour une interview. Il eut le tact de ne pas la mentionner. Pourtant, j'éprouvai un léger malaise à l'issue de notre entretien. Mon intuition ne m'avait pas trompé, comme la suite allait le révéler. Dans son article, Édouard Launet s'interrogeait avec irritation : « Quelle mouche a donc piqué Don Morrison pour étriller ainsi *the french culture* ? »

Moi, un démolisseur, un marchand de mort ? Me soumettant à la question, je me déclarai d'abord innocent. Mais à la réflexion... Pour avoir assumé des responsabilités éditoriales pendant plus de trois décennies, j'ai rédigé mon content de titres dans cette veine. J'ai bien conscience qu'il est parfois nécessaire d'employer des formules choc sur la couverture d'un magazine pour attirer l'attention. Affirmer que la culture française est morte s'avère, comme il va de soi, excessif. Mais l'exagération est, somme toute, relative et peut-être inévitable quand on a pour fonction d'attraper le lecteur par le revers de la veste. Si les tournures hyperboliques d'une couverture de magazine peuvent amener les Français à se demander pourquoi ils ne dominent plus le paysage culturel, comme ce fut le cas au XIXe siècle et au début du XXe ; à mettre en cause leur système de subventions et de quotas ainsi qu'à reconnaître la contribution des minorités à la culture française, alors tant mieux !

Et, de fait, c'est à peu près ce qui s'est passé. Au cours des deux mois suivants, les hautes sphères culturelles françaises ne se sont pas contentées de nous dénoncer, *Time* et moi, elles se sont aussi interrogées sur le rôle de la culture dans la vie du pays. Les débats ont monopolisé de nombreuses heures d'antenne à la télévision et à la radio, les commentaires et les réactions se sont succédé sur des hectares de papier. Je n'ai sûrement jamais espéré être fait chevalier dans l'ordre des Arts et Lettres pour mon article, mais le sérieux avec lequel les Français l'ont pris en considération aura été ma récompense.

Olivier Poivre d'Arvor devait confirmer cette componction, en me remerciant en personne pour « cette magnifique couverture de *Time* ». Elle offrait, écrivait-il, une occasion bienvenue d'entamer une réflexion sur le cours des valeurs culturelles de la France. Et il poursuivait : « Certes, le cadeau de *Time* était inespéré : mettre en une des préoccupations de leurs lecteurs la culture française plutôt que des questions d'intérêt mondial. Notre quart d'heure de gloire ! L'occasion de rappeler à nos compatriotes que rien n'est jamais acquis, qu'il faut se battre, y compris chez nous, pour réaffirmer le poids de cette culture. Une manière de réintéresser la classe politique, les médias, les professionnels culturels, le grand public à ce sujet d'exception. » Mais tout le plaisir était pour moi, cher Olivier.

Alors que les réactions à mon article s'accumulaient, ses failles me sautaient aux yeux. Malgré ses cinq pages, il était trop court pour explorer le sujet en détail. J'avais été contraint de laisser de côté de nombreuses données. Des aspects importants de la question avaient dû être sacrifiés, des arguments décisifs n'apparaissaient pas. Un temps insuffisant m'avait été alloué pour enquêter, discuter avec mes interlocuteurs et en tirer des conclusions. Mon écriture aurait pu être plus heureuse. Regrets habituels de tout auteur, je suppose.

Si l'occasion m'est donnée ici d'étoffer mon travail, je n'ai toutefois pas l'intention de lancer un nouvel assaut, sabre au clair, contre une France en déclin, mais simplement de poursuivre le vif débat que mon article a provoqué et, si possible, de contribuer à établir un diagnostic le plus juste possible, voire à trouver le chemin d'un renouveau. Puisse Antoine Compagnon m'y aider à travers sa réponse, je suis en tout cas honoré d'associer mon nom au sien.

Je suis aussi reconnaissant aux intellectuels, écrivains, artistes, collègues, amis et à tous les amoureux de la culture française qui ont bien voulu partager leurs réflexions avec moi et qui m'ont facilité la tâche de bien des manières. Je pense, en premier lieu, à des informateurs aussi précieux que Frédéric Martel, Guy Walter, Douglas Kennedy, François Busnel, Christophe Boïcos, Marc Lévy et Georgina Oliver ; à mes collègues de *Time* Claire Senard, Peter Gumbel, Grant Rosenberg (qui a participé au reportage), Michael Elliott, William Green et Jamie Graff (le trio qui a passé commande de l'article original et l'a édité) ; à Yves et Florence Darbois, Jonathan et Renée Fenby, David et Rebecca

Tepfer, Joe et Sigun Coyle, mes conseillers pour tout ce qui concerne la France ; à John Morris et Philippe Salomon, qui ont nourri le chapitre consacré à la photographie ; à mes compagnons de discussion habituels, Charles DeGroot, Jake Lamar, John Baxter, Wolfgang Kuhlmey, Amir Al-Anbari, John Lvoff, Barry Lando ; et, bien sûr, Ann Morrison qui inspire chacun des mots que j'écris et en revoit la plupart. Aucun d'entre eux ne saurait être tenu pour responsable des erreurs factuelles ou de jugement qui demeureraient. Si ce livre suscite de nouvelles irruptions de colère ou de dérision, c'est à moi seul qu'il reviendra d'y faire face.

2

Mais qu'ai-je bien pu écrire pour provoquer un tel déversement de fiel, un tel concert de ripostes et, de la part de rares âmes bienveillantes, ces remerciements prononcés du bout des lèvres ? Ce rapide résumé présentera l'affaire.

Je commençai par une évocation de la rentrée culturelle 2007 et de son abondante moisson : 727 romans publiés, contre 683 l'année précédente ; des centaines d'albums commis par des musiciens de toute sorte et des dizaines de films ; de grandes expositions dans chaque musée important ; une riche programmation musicale, lyrique et théâtrale dans les salles élégantes dont peuvent s'enorgueillir de nombreuses villes du pays. Si l'automne signifie énormément de choses dans beaucoup de pays, en France, c'est la saison qui marque l'aube de l'année culturelle.

D'ailleurs, continuait mon article, personne ne prend la culture plus au sérieux que les Français. Ils la subventionnent généreusement ; ils la choient au moyen de quotas et de déductions d'impôt ; les médias lui consacrent une place considérable et chaque ville, quelle que soit sa taille, possède son festival annuel de théâtre ou d'opéra, sa maison de la culture et des églises qui abritent, le week-end, des récitals d'orgue ou de musique de chambre.

Il y a pourtant un problème. Tous ces chênes qu'on abat dans la forêt culturelle française produisent à peine un écho étouffé dans le reste du monde. Autrefois admirée pour l'excellence de ses écrivains, de ses peintres et de ses musiciens, la France est aujourd'hui une puissance vacillante sur le marché mondial de la culture. La question est particulièrement sensible au moment où un nouveau président, fort de son volontarisme, entreprend de rétablir la position de la France sur la scène internationale. Si son projet doit prendre en compte la culture, Nicolas Sarkozy a du pain sur la planche.

Seule une poignée des romans de la rentrée trouveront un éditeur hors de l'Hexagone — et quasi aucun aux États-Unis —, alors qu'une grande part des œuvres de fiction vendues en France sont traduites de l'anglais. Des générations d'écrivains français — de Molière, Balzac, Hugo et Flaubert, jusqu'à Proust, Malraux, Sartre et Camus — n'ont pourtant pas manqué de lecteurs à l'étranger. Le cinéma français, le premier par le nombre de productions voilà un siècle, ne semble pas près de retrouver la position éminente qu'il occupait dans les années 60, quand Jean-Luc Godard, François Truffaut et les autres réalisateurs de la Nouvelle Vague proposaient un nouveau cinéma. Loin de ces exigences, la production française actuelle se cantonne le plus souvent à des films à petit budget, sympathiques mais insignifiants, et destinés au marché national. Les films américains représentent aujourd'hui près de la moitié des entrées dans les salles françaises.

La scène artistique parisienne, berceau de l'impressionnisme, du surréalisme et de plusieurs autres courants décisifs, a été supplantée par New York et Londres voire, de plus en plus, par Berlin. Paris, qui a longtemps dominé le marché des ventes aux enchères pour l'art contemporain, n'est plus qu'une place secondaire dans ce domaine. Les artistes français vivants sont moins sollicités par les grands musées ou lors des foires internationales que leurs pairs américains, britanniques ou allemands, et leurs œuvres n'atteignent pas des prix aussi élevés.

Certains musiciens français jouissent, certes, d'une réputation internationale, mais aucun n'a at-

teint le statut des géants du XXᵉ siècle, Claude Debussy, Erik Satie, Maurice Ravel ou Darius Mil-
haud. Dans le domaine de la musique populaire, les
chansons de Charles Trenet, Édith Piaf ou Charles
Aznavour ont fait le tour du monde. Aujourd'hui,
alors qu'Américains et Britanniques dominent la
scène rock, peu d'artistes français sont connus à
l'étranger, à l'exception, peut-être, de Carla Bruni,
qui jouit d'une relative reconnaissance grâce à ses
chuchotements et dont la notoriété s'est récemment
accrue, mais pour des raisons d'un tout autre ordre
qu'artistiques.

On pourrait se contenter d'enregistrer cet effacement progressif de la présence culturelle française
comme on observe d'autres particularismes nationaux — la faible natalité italienne ou les divisions
des Belges. Mais voilà : la France est la France, un
pays où, depuis des siècles, l'influence culturelle est
considérée comme un enjeu politique, où des philosophes à l'esprit critique et des musées fastueux
remuent la fibre patriotique tout en nourrissant la
fierté nationale. En outre, lors des négociations sur
le commerce mondial, la France a mené l'offensive
pour la reconnaissance de l'« exception culturelle »
et pour l'introduction de clauses autorisant les États
à contrôler l'entrée sur leur territoire de biens de divertissement tout en subventionnant leur production
intérieure. Des responsables français, convaincus de
la nécessité de ces mesures protectionnistes pour

sauvegarder la diversité culturelle face à l'ogre hollywoodien, ne sont-ils pas allés jusqu'à qualifier *Jurassic Park* de « menace contre l'identité française » ?

Et ce n'est pas tout. La France s'est longtemps attribué une « mission civilisatrice » à l'égard de ses colonies aussi bien que de ses alliés. En 2005, une loi enjoignait aux professeurs d'enseigner « le rôle positif » de la colonisation (le texte a été abrogé par la suite). La France consacre une part plus importante de son PIB à la culture et aux loisirs que tout autre pays développé. Le ministère de la Culture prodigue ses subventions non seulement aux institutions prestigieuses — musées, opéras et festivals de théâtre — mais aussi à toutes sortes d'activités relevant de la culture populaire. Dans la même veine, le parlement a fait entrer en 2005 le foie gras au sein du « patrimoine culturel et gastronomique protégé en France ». À l'instar d'un autre pays bien connu dont les principes fondateurs s'enracinent eux aussi dans le siècle des Lumières, la France n'a pas d'états d'âme quant à l'universalité de ses valeurs. Comme Nicolas Sarkozy le notait en 2007 : « Aux États-Unis et en France, nous estimons que nos idées sont destinées à éclairer le monde. »

Pourtant, la France ne tire guère de bénéfices des nombreux efforts, financiers et autres, consentis dans ce domaine. Avant d'en venir à un chiffrage plus détaillé, voici déjà une première indication de sa position internationale : selon un sondage, réalisé en 2007 pour *Le Figaro magazine*, auprès de 1 310 Américains, seules 20 % des personnes interrogées considéraient que la France excellait en matière de culture, sa gastronomie occupait une place autrement enviable.

Dans la suite de mon article, je considérais les diverses raisons de ce déclin : la prédominance de l'anglais dans le monde, le système scolaire français, le rôle d'éteignoir joué par les institutions publiques dans la vie culturelle du pays. Je m'intéressais aussi aux moyens susceptibles d'enrayer ce déclin et, en particulier, à l'énergie créatrice qui se manifeste dans les marges de la société. Enfin, dans ma conclusion, j'affirmais que la culture française est bien vivante, sans jouir pour autant de la reconnaissance qu'elle mériterait à l'étranger et, poursuivais-je, le pays est tout à fait capable de revenir au premier plan dans ce domaine.

Rétrospectivement, plusieurs lacunes me sautent aux yeux. J'aurais dû mentionner les succès de certains architectes français, par exemple, ou la notoriété acquise par quelques groupes musicaux. Un surcroît de scrupules m'aurait aussi amené à préciser la différence entre succès commercial et qualité artistique, mais qui pose vraiment un signe d'égalité entre les deux ? Réciproquement, j'aurais dû rappeler qu'il est difficile de mesurer l'influence de la culture française sans la rapporter à son poids sur le marché mondial. En outre, et je ne l'ai pas assez spécifié, je ne prônais pas la suppression pure et simple des subventions publiques mais je m'interrogeais sur les éventuels bienfaits d'une attitude moins interventionniste de l'État dans la sphère culturelle.

Ces faiblesses n'ont pas échappé à mes contradicteurs. Au-delà, quelques-uns m'ont opposé des arguments qui m'ont tenu éveillé la nuit à la recherche d'une réfutation. Dans *Libération*, Christine Albanel, la ministre de la Culture, a remis en cause ma thèse selon laquelle « le soutien de l'État à la culture, excessif, étoufferait la création [...]. Le soutien de l'État à la culture est une grande tradition française qui sait d'ailleurs évoluer : l'édition a été sauvée par le prix unique du livre, la politique culturelle dans le domaine du cinéma permet aux films français de ne pas être laminés, en termes de parts de marché, par les films américains ». À ceci près, madame la ministre, que de telles politiques n'incitent en rien éditeurs et producteurs à offrir des livres et des films qui susciteraient l'engouement du public.

Didier Jacob, sur son blog, affirmait que mon article faisait « référence à une conception de la culture aujourd'hui largement dépassée ». Molière et Proust sont morts sans successeurs, expliquait-il, tout comme Henry James et ses pareils, aux États-

Unis. Oui, cher Didier, mais les États-Unis produisent des Philip Roth, Cormac McCarthy, Don De-Lillo, Thomas Pynchon et, jusqu'à sa disparition en 2007, c'était aussi la patrie de l'immense Norman Mailer. Par ailleurs, l'œuvre d'Henry James est parfois terriblement soporifique. En outre, poursuivait-il, dans le monde entier, « l'idée même de chef-d'œuvre a disparu dans la seconde moitié du XXᵉ siècle ». N'allez pas le répéter aux écrivains américains, cher ami, la mort supposée des chefs-d'œuvre ne les a pas dissuadés de s'attaquer, encore et toujours, au projet de « grand roman américain ».

Olivier Poivre d'Arvor lança la contre-attaque la plus étayée à mes yeux avec sa « Lettre à nos amis américains ». *Time* en publia des extraits quelques semaines après mon article et Culturesfrance en fit un tiré à part. Dans cette brochure, la missive était illustrée par une liste de trois cents « créateurs français ou travaillant en France, "reconnus" dans un minimum de 20 pays étrangers » et dressée « en interrogeant [l]es interlocuteurs [de Culturesfrance] dans près de 80 pays ».

Les arguments sont recevables, la démonstration solide. Mais tout cela invalide-t-il la thèse de la perte d'influence de la culture française sur la scène internationale ? Pas vraiment, et nous allons voir de quelle manière. Mais d'abord, quelques mots sur le parcours qui m'a conduit jusqu'à cette situation délicate.

3

Autant l'admettre tout de suite, je suis, par un biais curieux, un produit de la mission civilisatrice de la France. Figurez-vous le Middle West des années 50 et 60. Dans cette friche culturelle, ce désert coupé du monde, nous n'avions pour nous divertir que le football, l'église et la télévision — qui se limitait à trois chaînes (je vous parle d'avant l'ère du câble). Par un étrange coup du sort, je pus bénéficier d'une offre plus large : les bonnes sœurs pourvurent à mon éducation. Si on m'avait demandé mon avis, j'aurais préféré qu'on me confiât aux loups, mais mes parents voyaient les choses autrement.

Ces religieuses étaient des ursulines, ordre fondé en 1535 par Angela Merici de Brescia et nommé en l'honneur d'Ursula, vierge et martyre du IVe siècle (d'un certain point de vue, un latiniste pourrait donc affirmer que, finalement, j'ai été élevé par des ours). Les ursulines arrivèrent en France en 1639 où leur ordre prospéra en s'assignant pour mission particulière l'éducation des jeunes enfants. Aux XVIIIe et XIXe siècles, l'ordre s'aventura jusqu'en Amérique du Nord, établissant des communautés au Québec, à New York, à La Nouvelle-Orléans et dans des lieux plus reculés, parmi lesquels Alton, ville du sud de l'Illinois où je suis né.

C'est là que j'entrai, à l'âge de cinq ans, dans un jardin d'enfants tenu par les ursulines. J'enchaînai avec l'école primaire des ursulines, puis un lycée local, appartenant lui aussi aux religieuses. Je leur échappai en m'inscrivant dans une université laïque où je fis toutefois la connaissance d'une jeune étudiante inscrite au College of New Rochelle, gouverné bien sûr par l'ordre des ursulines. Vous vous en doutez, cette jeune étudiante devint ma femme.

Mais retournons à l'école. Alton est tout proche de Saint-Louis, ville beaucoup plus importante, fondée par les Français en 1764 et qui en garde la marque, dans son architecture, les noms de ses rues et d'autres vestiges. Tout comme Alton, fondée elle aussi par les Français, un demi-siècle plus tard. Mon enfance a été nourrie par la lecture des exploits accomplis par les explorateurs français du XVIIe siècle, comme le père Marquette (mon école portait son nom) et Louis Joliet, dont le campement m'avait précédé sur le terrain même où je folâtrais en culottes courtes. D'autres figures de l'histoire locale avaient pour nom le comte de Frontenac, Pierre Laclède et Michel-Guillaume Jean de Crèvecœur. Plusieurs de mes camarades de classe portaient des noms français, certaines villes des environs aussi.

Dès les débuts de mon cursus scolaire, mes enseignantes ursulines — quelques-unes étaient françaises, d'autres québécoises — m'ouvrirent une fenêtre sur la culture, l'histoire et la langue française. Tout petit, j'appris la chanson *Frère Jacques*, sans d'ailleurs en comprendre les paroles. Le système scolaire américain, véritable usine à gaz, n'a jamais encouragé l'étude des langues étrangères. Je dus attendre ma quatorzième année pour choisir entre le français et l'espagnol, langue qui était déjà la plus communément étudiée aux États-Unis en général et dans mon école en particulier. Je choisis pourtant le français.

J'eus pour professeur une religieuse âgée qui n'avait jamais mis les pieds en France mais dont l'obsession pour les exercices et pour la discipline me permit d'acquérir une bonne maîtrise de la langue écrite (et à peu près aucune de l'oral). Les livres français étaient aisément disponibles, à cette époque, et je me demande d'ailleurs si cette abondance n'était pas le fruit de la politique de promotion culturelle alors en vigueur en France. Je lisais Hugo et Balzac, Voltaire et Montesquieu, Montaigne et Flaubert, Maupassant et Duras. Lorsque j'appris l'existence de l'*Encyclopédie* de Diderot, je m'attelai à la rédaction de ma propre version. Je ne devais pas aller plus loin que la lettre A. De plus, j'étais de ceux qui savaient que *My Way* de Frank Sinatra était une reprise de *Comme d'habitude*, de Claude François, et que *Beyond the Sea* chantée par Bobby Darin était la version anglophone de *La Mer*, de Charles Trenet. Je ne trouvais guère le temps de m'intéresser à Elvis Presley ou à James Dean, mais je succombais au charme exotique de Maurice Chevalier et de Charles Boyer. Dans tous les domaines, j'avouais une prédilection pour ce qui était français, à commencer par le *french kiss*. La France m'apparaissait comme le sommet de la culture et de la pensée, du style et de la sophistication.

Pardonnez-moi cette digression biographique. Il se trouve qu'au moment où j'écris ces lignes, *Chagrin d'école* (Gallimard, 2007) de Daniel Pennac, est en tête des ventes de livres et les savoureux souvenirs d'école de l'auteur m'ont rappelé l'influence que les expériences de l'enfance ont sur notre destinée. Dans mon cas, cette éducation sentimentale a attisé un vif désir de connaître la France. À ma grande contrariété, je ne fus pas en mesure de satisfaire ce souhait avant l'âge de vingt-trois ans. Le milieu modeste dont j'étais issu, la guerre du Vietnam et mes obligations militaires ont constitué autant d'obstacles. Je finis toutefois par débarquer à Calais, par un petit matin, après un éprouvant voyage nocturne en train et en ferry depuis Londres, où je venais d'entamer mon deuxième cycle à l'université. Quand les premières boutiques levèrent leurs rideaux de fer, je découvris, à ma grande surprise, que mes interlocuteurs parvenaient à comprendre les sons étranges que je marmonnais, vestiges de mes cours de français. Je revins à de nombreuses reprises, l'attrait de la France ne faiblissant jamais au cours de ma carrière de journaliste. Quand je fus finalement en mesure de prendre ma retraite, plus de trois décennies après cette première reconnaissance, l'ancienne étudiante de New Rochelle et moi-même décidâmes de nous installer en France. Pour sa culture, évidemment.

Ainsi, quand mes anciens collègues de *Time* me proposèrent de reprendre la plume pour un long papier consacré au déclin de la puissance culturelle française, comment résister à la tentation ? Et pourtant, j'y résistais. J'étais à la retraite, je n'avais pas besoin de ce travail. De plus, ma vie de Parisien était déjà bien remplie par les lectures, les dîners, les musées, les opéras et les conférences, mes voyages en province et les autres jouissances que me procurait le pays. Je ne suis pas un cas isolé. La France n'est pas seulement la destination touristique favorite des Américains, c'est aussi le pays où des dizaines de milliers d'entre nous ont choisi de vivre. Et, comme je l'ai souligné dans mon article, quiconque vit en France a bien conscience de l'extraordinaire vitalité culturelle qui y règne. Ce que je n'avais pas réalisé, en revanche, c'est que la culture française ne rayonnait plus guère à l'étranger.

Le fait n'avait pas échappé à Michael Elliott. Directeur éditorial des éditions internationales de *Time*, il bénéficie d'un poste d'observation idéal, depuis son bureau new-yorkais pour déceler des incohérences telles que celle-ci. Appuyé par William

Green, responsable du bureau de Londres, il finit par me convaincre. Que mon entrevue avec William Green ait pris place dans un restaurant français de Londres dont la carte des vins offrait quelques trésors de la vallée de la Loire pesa sans doute sur ma décision. Les deux hommes sont anglais et, bien qu'ils aient travaillé dans le monde entier, rien n'interdit de se demander si un Anglais, du fait de la rivalité historique entre les deux pays, n'est pas prédisposé à déceler des signes de déclin qui passeraient inaperçus aux yeux de l'Américain que je suis.

Je me plongeai donc dans le sujet avec enthousiasme. Ce que je découvris me surprit.

4

Le déclin culturel est un phénomène difficile à mesurer. L'évoquer réveille, chez certains Français, la nostalgie d'une société plus hiérarchisée et plus rigoureuse, celle du XIXᵉ et du début du XXᵉ siècle. Mais la rigueur est une donnée très subjective, comme la culture. Un terme qui en est venu à désigner l'entretien du goût, dans l'art, la poésie et d'autres disciplines prisées par une élite sophistiquée qui ne voyait pas là un vain passe-temps. Selon Montesquieu, s'y adonner visait à « rendre un être intelligent plus intelligent encore ». Le poète et critique anglais du XIXᵉ siècle Matthew Arnold a défini la culture comme « la poursuite de notre perfection totale par le moyen de la connaissance (...) de ce qui a été pensé et dit de meilleur dans le monde ». Lui-même jugeait cette relation cruciale pour le développement d'une saine démocratie. Cette vision de la culture, d'inspiration platonicienne, présuppose que les caractéristiques de la beauté et de la perfection, fixées éternellement, sont identiques pour toutes les sociétés.

Nos contemporains ont considérablement élargi cette définition. Pour André Malraux, « ce qu'on appelle "la culture", c'est l'ensemble des réponses mystérieuses que peut se faire un homme, lorsqu'il regarde dans une glace ce qui sera son visage de mort ». Un concept très général de la culture nous est donné par les anthropologues Daniel Bates et Fred Plog : « Un système de croyances, de valeurs, d'habitudes, de comportements et de productions artisanales que les membres d'une société utilisent pour faire face à leur monde et communiquer entre eux, et qui est transmis de génération en génération grâce à l'apprentissage. » On le voit, cette définition, largement adoptée par les universitaires, inclut la basse culture qui mobilise les masses, au même titre que le système de castes, les rites funéraires et d'autres comportements codifiés.

Toutefois, quand on évoque le déclin de la culture française, il est clair que l'on pense moins à un système de croyances et de traditions qu'à l'art, à la littérature, à la musique et aux autres formes d'expression de la « haute culture ». Les couches éduquées de la population, surtout en Europe, maintiennent leurs distances à l'égard de la « basse culture » populaire, liée au divertissement, aux médias de masse et au marché. Dans son essai de 1963, *La Crise de la culture*, Hannah Arendt considérait déjà que les œuvres d'art devaient être « délibérément écartées des procès de consommation et d'utilisation, et isolées loin de la sphère des nécessités de la vie humaine ». Tout comme elle, j'estime que la culture devrait, d'une manière ou d'une autre, échapper au commerce. Toutefois, je ne peux pas m'empêcher d'accorder une petite place à la « basse culture » dans la mesure où ses productions sont des versions, peut-être inférieures, des pièces de musique classique, des films d'art et d'essai ou des peintures dignes des musées dont nous admettons tous la beauté et la perfection. Je discuterai donc ces deux aspects de la culture, avec d'autant plus de légitimité que les pouvoirs publics français les protègent, et que le public les apprécie tous les deux en les considérant comme essentiels à l'identité du pays.

Calculer l'influence internationale de la production culturelle d'un pays est une affaire délicate. Divers instruments de mesure nous fournissent, certes, des résultats empiriques, tels que les sondages d'opinion, les classements par la notoriété, le nombre d'entrées, les chiffres de vente, etc. Nous autres Américains, ainsi que je l'ai vérifié avec mon article, sommes facilement accusés de céder à la confusion entre qualité et popularité. Un lecteur du blog de Pierre Assouline a, par exemple, rédigé un commentaire en réaction à mon article, dans lequel il écrivait : « Le hot-dog est infiniment supérieur à la blanquette de veau. Facile à calculer, ça. Faut regarder les chiffres de vente. Car en dehors du chiffre... Rien n'existe, n'est-ce pas ? »

Faux ! À moins, bien sûr, de penser qu'une Mégane est infiniment supérieure à une Mercedes, ou Mouton-Cadet à Mouton-Rothschild. S'il fallait suivre un raisonnement aussi spécieux, alors un hot-dog, parce qu'il serait très recherché, coûterait plus cher qu'une blanquette. Cette controverse est sans intérêt. Mais elle montre qu'introduire une mesure chiffrée dans le débat, c'est donner l'impression de vouloir assimiler l'art à une entreprise commerciale et de réduire les œuvres à de simples marchandises répondant aux lois de l'offre et de la demande. Comme il va de soi, ce n'est pas le cas. L'art est une expression de l'âme, de l'esprit, d'une impulsion créatrice. Qu'il soit influencé par le contexte social, politique, économique, ne change rien à l'affaire. Le philosophe allemand Walter Benjamin l'a dit à sa manière : « L'une des tâches primordiales de l'art a été de tout temps de susciter une demande, en un temps qui n'était pas mûr pour qu'elle pût recevoir pleine satisfaction. »

Toutefois, les artistes créent des œuvres qui sont bel et bien achetées et vendues à des prix que l'on peut compiler et analyser. Il en va de l'art comme de la lumière qui, selon les physiciens, se comporte à la fois comme les ondes et comme les particules. On peut mesurer l'impact des particules mais on ne peut nier pour autant que la lumière possède les propriétés des ondes qui échappent, elles, au pesage.

Ce qui justifie la différence de valeur entre deux œuvres fait l'objet d'interminables débats. Néanmoins, ces différences existent. Une grande peinture se vend généralement plus cher qu'une petite, toutes choses étant égales par ailleurs. Les œuvres d'artistes allemands contemporains atteignent souvent des prix plus élevés que celles de leurs pairs français. Faut-il en tirer la conclusion que les miniatures et les artistes français ne sont pas « bons » ? Pas vraiment. Notons un autre phénomène : alors que les critiques d'art, les historiens et d'autres experts vont tendre à établir un consensus sur la qualité d'une œuvre, le marché international de l'art, avec ses galeristes et ses collectionneurs, pourra très bien manifester une opinion différente sur le même sujet. L'excellence sera donc relative, déterminée dans un cas par des critiques raffinés, dans l'autre par des consommateurs matérialistes et des marchands. Quiconque soutiendra que le jugement des experts est plus fiable et mieux étayé risquera de se voir taxer d'élitisme, au prétexte qu'il adhère à un système de valeurs qui reconnaît aux couches privilégiées le rôle d'arbitres du bon goût. Marcel Duchamp, père du mouvement dada et partisan du renversement des valeurs établies, a donné ce conseil, resté célèbre : « Utilisez un Rembrandt comme planche à repasser. »

Toute tentative d'imposer des instruments de mesure empiriques à la culture me rappelle les entreprises pseudo-scientifiques du XIXᵉ siècle visant à définir la masse de l'âme en pesant les corps juste avant et juste après la mort, la soustraction des deux données étant supposée fournir un résultat fiable. L'expérience aboutissait souvent à un chiffre, sans que l'on puisse en tirer aucune conclusion. Mais comment s'y prendre pour estimer l'impact de la culture d'un pays à l'échelle internationale, sinon en mesurant ce qui peut l'être ? Toute autre approche doit se contenter d'indices purement anecdotiques ou d'observations subjectives. C'est la raison pour laquelle quelques chiffres apparaissent dans les pages qui suivent. Ils ne traduisent pas à eux seuls la vitalité de la culture française dans le monde. Mais les ignorer serait absurde.

5

En France, on compte, bien sûr, deux rentrées littéraires chaque année. Outre les 727 romans publiés à l'automne 2007, 547 nouveaux titres sont apparus en librairie au cours de l'hiver 2008, soit 5 de plus que l'hiver précédent. En moyenne, chaque année les 10 000 éditeurs que compte le pays (d'après le Syndicat national de l'édition) mettent en circulation 60 000 nouveaux titres dans tous les genres. Toutefois, la presse et le public vont s'intéresser aux 1 000 à 2 000 romans publiés au cours de ces deux rentrées, et à un nombre équivalent d'autres nouveautés — principalement des essais — en dehors de ces deux périodes. On peut considérer que ce corpus constitue la littérature française contemporaine. En France, ces livres vont trouver des lecteurs, susciter des discussions dans les émissions télévisées, les magazines et les dîners. Hors de France, ils vont laisser à peu près tout le monde indifférent.

Seule une fraction de cette production sera susceptible d'éveiller la curiosité des éditeurs étrangers et moins d'une dizaine de ces romans paraîtront aux États-Unis. Selon le calcul précis du US Center for Book Culture, en moyenne les droits de 8,7 livres ont été vendus à des éditeurs américains chaque année entre 2000 et 2006 ; une autre source, le Dalkey Archive Press, donne un chiffre légèrement différent, 8,5 par an sur la période 2000-2005. On pourra toujours trouver ce résultat meilleur que celui de l'Italie (6,5 romans traduits aux États-Unis en moyenne chaque année) ou de l'Allemagne (6 romans), mais qui verrait là un motif de satisfaction ? (On estime que le Royaume-Uni traduit un nombre à peu près équivalent de titres français, italiens et allemands.)

La France obtient de bien meilleurs résultats en dehors du monde anglo-saxon, en particulier chez ses voisins européens. En Allemagne, par exemple, 9,4 % des titres traduits en 2005 l'ont été du français, langue qui arrive en deuxième position après l'anglais mais, là encore, à une distance considérable puisque les romans de langue anglaise représentent 60 % des traductions en allemand. Avec de petites variations annuelles, les chiffres sont similaires en Italie et en Espagne : la littérature française s'y classe au deuxième rang des traductions après l'anglais.

Selon les chiffres du Syndicat national de l'édition (SNE), en 2006, les droits de 6 578 livres français ont été vendus à l'étranger, dont 2 026 romans. Les pays concernés étaient d'abord l'Italie, avec 187 titres de littérature, suivie de l'Espagne (153) et de la Russie (133). Dans le même temps, la France achetait les droits de traduction de 433 romans. Selon ces données, la France affichait une balance commerciale littéraire positive avec 4,7 titres vendus pour chaque titre étranger acheté. Mais tout change dès qu'on se limite au marché des livres de langue anglaise. En 2004, toujours, les éditeurs français ont acheté les droits de 240 livres en anglais et en ont vendu seulement 90 dans les pays anglo-saxons (répartis également entre les États-Unis et le Royaume-Uni). L'association internationale d'écrivains PEN estime à 30 % environ la part des livres originellement en français dans l'ensemble des traductions vendues aux États-Unis. La proportion peut sembler considérable, sauf que la plupart des titres concernés sont des œuvres d'auteurs du passé : André Gide, André Malraux, Jean-Paul Sartre, Albert Camus, Marguerite Duras, Françoise Sagan. Les écrivains vivants arrivent loin derrière.

Une catégorie d'auteurs français bénéficie d'une notoriété bien supérieure aux chiffres de vente de leurs ouvrages. Tous appartiennent au courant désigné dans les pays anglo-saxons par l'appellation — qui n'a pas cours en France — de *French Theory*. Ce groupe comprend Jacques Lacan (psychanalyse), Claude Lévi-Strauss (anthropologie), Roland Barthes (sémiotique), Michel Foucault (histoire), Gilles Deleuze et Félix Guattari (philosophie et psychanalyse), Jean Baudrillard et Jacques Derrida (théorie culturelle et sociale) ainsi que quelques autres. S'ils ne constituent pas à proprement parler un mouvement, ils partagent le souci d'observer le monde avec de nouveaux outils — de le « déconstruire », selon le terme utilisé par certains d'entre eux — souvent d'un point de vue marxiste ou radical. Ils ont établi leur notoriété dans les années 60, en France, où leur influence a été concurrencée, dès le milieu des années 70, par l'antimarxisme et « l'humanisme civique » des nouveaux philosophes aux positions moins radicales.

Les tenants de la *French Theory* ont alors trouvé un nouveau public dans les universités américaines, en particulier dans les départements de littérature où ils ont inspiré des vagues successives de déconstructionnistes, anti-déconstructionnistes, post-décontructonnistes et anti-post-déconstructionnistes. Si le jargon universitaire franchit rarement l'enceinte des campus aux États-Unis, ces spécialités d'origine française ont suffisamment coloré le langage de tous les jours pour que Woody Allen puisse intituler l'un de ses films *Deconstructing Harry*. Les distributeurs durent toutefois adopter un titre différent (*Harry dans tous ses états*) pour le marché français, la notion de déconstruction étant peu familière au public hexagonal.

Aujourd'hui, une poignée de penseurs français jouissent d'une notoriété internationale : Julia Kristeva, André Comte-Sponville et les (plus si) nouveaux philosophes, André Glucksmann, Alain Finkielkraut et Bernard-Henri Lévy. *Qui a tué Daniel Pearl ?*, publié par ce dernier en 2003, a eu un écho international, que n'a pas retrouvé son livre suivant *American Vertigo*. Quoi qu'il en soit, les beaux jours de la *French Theory* sont révolus. En dehors de quelques bastions universitaires, ses partisans les plus acharnés sont désormais tournés en dérision dans les cercles universitaires américains. L'étoile des philosophes français a pâli, d'autres travaux suscitent plus d'intérêt, en particulier ceux de leurs pairs américains, John Rawls, Robert Nozick, Nicholas Sturgeon, Richard Boyd ou ceux de l'Allemand Jürgen Habermas. Dans une interview, Jean Baudrillard a qualifié la *French Theory* de « cadeau de la France. Elle a donné aux Américains un langage dont ils n'avaient pas besoin. C'était l'équivalent de la statue de la Liberté. Personne n'a besoin de la *French Theory*[1] ».

De nombreux indices reflètent la perte d'influence des écrivains et des théoriciens français de toute obédience. La liste, publiée en 1995 par le *Times Literary Supplement*, des livres les plus importants de tous les temps comportait encore treize titres français. Toutefois, cinq des titres de cette liste ont été publiés dans la décennie 1940, quatre dans la décennie 1950, trois dans les années 1960 et un seul depuis le début des années 1970 (les *Mémoires* de Raymond Aron). En 2005, deux revues, *Foreign Policy* aux États-Unis et *Prospect* au Royaume-Uni,

1. Deborah Solomon, « Continental Drift », *New York Times Magazine*, 20 novembre 2005.

ont demandé à leurs lecteurs de désigner les cent intellectuels « impliqués dans le débat public » les plus influents. Plus de vingt mille lecteurs du monde entier ont répondu à cette sollicitation. La liste finale comportait les noms de trente et un Américains, douze Britanniques, cinq Chinois ; l'Allemagne, le Canada et l'Inde comptaient trois représentants. La France, avec deux personnalités seulement (Jean Baudrillard et Alain Finkielkraut), arrivait au même rang que l'Italie, le Japon, le Kenya et la Suisse. Comme le disait Jean Baudrillard dans l'interview déjà citée : « Il n'y a plus d'intellectuels français. Ce que vous appelez ainsi — intellectuels français — a été détruit par les médias. Ils parlent à la télévision, ils s'expriment dans la presse et ils ne se parlent plus entre eux [...]. Nous nous comptons. Nous ne nous préoccupons pas de ce qui vient de l'extérieur. Nous acceptons uniquement ce que nous avons inventé. »

Si la France a donné aux États-Unis les travaux d'une poignée de théoriciens, l'Amérique a offert, en échange, un tiers des auteurs étrangers lus dans l'Hexagone. Au cours de la dernière décennie, la part des traductions dans l'ensemble des romans parus a oscillé entre 30 et 40 % (40,3 % en 2007). Près des trois quarts des 3 441 romans traduits publiés en 2007 l'ont été de l'anglais. Et, toujours d'après le SNE, en 2006, près de la moitié des romans en anglais dont des éditeurs français ont acheté les droits en vue d'une traduction provenaient des États-Unis. Autrement dit, l'Amérique est le pays d'origine d'un tiers de l'ensemble des traductions vendues en France.

La fiction étrangère, en particulier lorsqu'il s'agit d'histoires réalistes et circonstanciées, connaît un large succès en France. De ce fait, des auteurs anglo-saxons qui privilégient la construction de l'intrigue, tels que John Le Carré, Pat Conroy, Ian McEwan ou William Boyd, sont très présents dans les listes de best-sellers françaises. Certains auteurs, en outre, sont considérés comme des Français d'adoption : Diane Johnson, Paul Auster, Nancy Huston, Jake Lamar et Douglas Kennedy par exemple. L'avant-dernier roman de Paul Auster, *Brooklyn Follies*, a paru en France plus d'un an avant sa publication américaine. La plupart des livres de Douglas Kennedy ne sont même pas publiés aux États-Unis. Lors d'un séjour à Paris en 2004, Jim Shepard, écrivain américain, auteur de *Love and Hydrogen,* confiait : « Rares sont les gens qui savent que j'écris dans ma ville du Massachusetts. Ici, quand je me promène dans la rue, il arrive que quelqu'un m'interpelle : "Eh, vous ne seriez pas Jim Shepard, par hasard ? J'adore vos livres[1] !" »

Cet intérêt pour les auteurs étrangers pourrait avoir sa part dans le succès inattendu, en 2006, des

1. Cristina Nehring, « Writers in Paradise », *New York Times*, 12 décembre 2004.

Bienveillantes, roman de 900 pages publié dans la prestigieuse collection blanche des éditions Gallimard. Le livre, qui s'était vendu à 700 000 exemplaires fin 2007, a été distingué par le grand prix du roman de l'Académie française et par le prix Goncourt. L'auteur Jonathan Littell, un Américain élevé en France, a écrit son roman en français, faisant preuve d'une maîtrise de la langue que peu de critiques littéraires ont relevée. Mais le succès rencontré par son livre tient d'abord à d'autres raisons : son ambition littéraire, la somme de connaissances historiques qu'il convoque, son pouvoir émotionnel et ses descriptions crues. Jonathan Littell a lui-même estimé dans une rare interview au *Monde* qu'il pourrait bien avoir satisfait « une demande pour des gros livres, plus romanesques, très construits ». Voilà précisément, renchérit la critique américaine Elisabeth Vincentelli, ce dont « les romanciers français se montrent incapables, selon beaucoup d'observateurs. C'est le reproche que l'on entend le plus souvent : on ne trouverait plus d'auteurs français dotés d'un souffle suffisant pour se lancer dans un récit de grande ampleur[1]. »

L'importance du marché de langue anglaise pour la diffusion de la littérature française ne saurait être

---

1. Elisabeth Vincentelli, « An American novelist scandalizes France », *salon.com,* 27 février 2007.

surestimée. L'anglais, première langue de quatre cents millions de locuteurs, arrive au deuxième rang planétaire, derrière le chinois. Selon les estimations de l'écolinguiste gallois David Crystal, il faut encore ajouter à ceux-là quatre cents millions de personnes pour lesquels l'anglais est une deuxième langue et les millions d'autres qui en maîtrisent la lecture[1]. Une étude du British Council, menée il y a dix ans, concluait que 27 % des livres publiés dans le monde l'étaient en anglais (contre 12 % en allemand et 8 % en français). L'anglais remplit encore une fonction plus décisive : celle de courroie de transmission de la littérature d'un pays pour le reste du monde. En règle générale, il faut qu'un livre soit d'abord traduit en anglais pour que cette version — et non l'original — attire l'attention d'un éditeur quelque part dans le monde. « L'anglais est la monnaie d'échange littéraire numéro un », estime Esther Allen, directrice du Center for Literary Translation de l'université Columbia.

Malgré le poids de l'évidence, la France s'efforce d'accroître la valeur de sa propre devise littéraire. Le ministère de la Culture dépense environ 10 millions d'euros par an au développement et à l'exportation d'ouvrages en français ainsi qu'à la vente de

---

1. Esther Allen (dir.), *To Be Translated or Not To Be — PEN/IRL Report on the International Situation of Literary Translation*, 2007, p. 17.

droits aux éditeurs étrangers. Un établissement du ministère, le Centre national du livre, finance de 20 à 50 % des coûts de traduction de quelque cinq cents titres français chaque année. Les programmes d'aide à la publication du ministère des Affaires étrangères apportent un soutien aux livres jugés revêtir une importance culturelle particulière. Aux États-Unis, par exemple, le Hemingway Grants peut offrir de 1 000 à 6 000 dollars à l'éditeur d'un livre d'origine française pour couvrir une partie de ses frais de traductions.

Les pouvoirs publics ne sont pas seuls à soutenir la littérature du cru. La France prend ses auteurs au sérieux. Plus de 900 prix littéraires sont attribués chaque année — peu de pays en offrent un nombre aussi élevé — et l'attribution des plus importants d'entre eux fait les gros titres. Lors du décès de Jacques Derrida, en 2004, son portrait a occupé la première page des plus grands journaux tandis que le président de la République comme le Premier ministre ont publié chacun un hommage élogieux. Un mois plus tôt, la disparition de Françoise Sagan avait suscité les mêmes réactions et, bien qu'elle n'eût pas publié un livre notable depuis cinquante ans, *Le Figaro* écrivit que sa mort laissait « la France désespérée ».

Peu de pays peuvent se targuer de posséder les équivalents de l'Académie française ou de l'Institut de France qui contribuent au patrimoine linguistique et littéraire national. Moins encore programment autant d'émissions de télévision consacrées aux écrivains et aux poètes (« Apostrophes » a longtemps été le programme préféré des Français). Aucun pays ne possède l'équivalent du magazine *Lire*, destiné au grand public et dont la diffusion approche les 90 000 exemplaires. On ne s'en étonnera pas, la France peut revendiquer une dizaine de prix Nobel de littérature, plus que tout autre pays, même si le plus récent de ses lauréats — Gao Xingjian, en 2000 — écrit en chinois. Le pays prend soin de ses écrivains. Le problème tient à la littérature française elle-même, devenue ésotérique, distante du monde réel et donc difficile à exporter.

Bien que les Français n'aient pas inventé le roman, ils ont dominé le genre au XIXᵉ et au XXᵉ siècle : Stendhal, Balzac, Hugo, Dumas père et fils, Flaubert, Zola, Proust, Céline... ont trouvé un public international. La publication des *Misérables*, en 1862, a peut-être été le premier « événement » éditorial international, avec la sortie simultanée du livre à Amsterdam, Londres, Paris et New York. Au total, sept millions d'exemplaires ont été vendus jusqu'à la fin du XIXᵉ siècle, rapportant à son auteur des sommes sans précédent dans l'histoire de l'édition. Balzac et Dumas ont été en tête des ventes aux États-Unis. Friedrich Engels, de son exil londonien, préférait Balzac à Zola mais lisait les deux auteurs. *La Terre* de Zola, publié à Paris en 1887, était disponible à Londres, en anglais, dès l'année suivante. Dans le monde de la fiction, la France était au centre du jeu.

La situation a commencé à se détériorer au milieu du XXe siècle, avec l'apparition du nouveau roman dont les tenants ont choisi de saborder les conventions en vigueur, que ce soit la vraisemblance ou l'intrigue, en faveur de l'ivresse de l'expérimentation, pour des résultats parfois désorientants. L'exploration de cette voie a été favorisée par le structuralisme, alors en plein essor et qui postulait, entre autres, que les conduites humaines relèvent moins du libre arbitre que de diverses structures, telles que la parenté ou la classe sociale. La théorie structuraliste, en matière littéraire, est étroitement liée à la linguistique et associe la valeur d'un texte littéraire au caractère novateur de sa structure et non à la caractérisation des personnages ni à l'originalité de la voix de l'auteur. L'élégance de la théorie a de quoi séduire, sa mise en œuvre n'en a pas moins produit des romans rébarbatifs.

Après les pionniers du genre — Nathalie Sarraute, Claude Simon, Alain Robbe-Grillet et Michel Butor —, peu d'écrivains aujourd'hui se réclament du nouveau roman, qui exerce néanmoins une influence persistante quoique sous-jacente. Les romans français contemporains gardent souvent un caractère expérimental, autoréférentiel, claustrophobique si ce n'est nombriliste. Ce que déplore

John Lichfield : « La fiction française s'enlise dans des abstractions d'un intellectualisme forcené et obsessionnel qu'elle préfère à la narration d'une histoire[1]. »

À la différence des romanciers du XIXᵉ siècle qui s'emparaient de la question sociale ; des écrivains engagés, ceux d'avant comme d'après la Seconde Guerre mondiale ; à la différence, encore, de la génération de 1968, les écrivains français d'aujourd'hui se tiennent à l'écart du monde réel, de la politique, de la mondialisation, du terrorisme, de la menace écologique et d'autres questions brûlantes auxquelles ils préfèrent trop souvent le royaume de l'intimité et les interrogations anecdotiques. « Prose relâchée, narcissisme facile et une forme particulière de pessimisme obligé », c'est par cette formule lapidaire qu'une critique américaine résumait la rentrée littéraire française de 2004[2].

Dans *Professeurs de désespoir* (Actes Sud, 2004), Nancy Huston, romancière canadienne installée à Paris, reprochait aux écrivains européens et, en particulier, aux Français de se complaire dans un « nihilisme stérile » et d'afficher leur mépris à l'égard de toute manifestation d'optimisme. Elle stigmatisait surtout Michel Houellebecq, l'un des

---

1. John Lichfield, « The death of French culture ? I don't think so », *The Independent,* 6 décembre 2007.
2. Cristina Nehring, art. cit.

rares auteurs français du moment à être traduit dans de nombreuses langues et qui, avec sa misogynie revendiquée, sa misanthropie et son goût pour la narration tortueuse, apparaît comme le chef de file des auteurs de fiction illisible. Mais Michel Houellebecq est peut-être une cible facile. Certains auteurs français, reconnus à l'étranger, sont tout à fait lisibles. Parmi ceux-ci, Anna Gavalda, dont le roman *Ensemble, c'est tout* (Le Dilettante, 2004) a été traduit en trente-huit langues et adapté au cinéma par Claude Berri. Mais, là encore, on ne quitte pas le terrain des relations amoureuses, évoquées sur un ton intimiste.

Nancy Huston, à l'instar de nombreux critiques, déplore la mode de l'autofiction, ce type d'autobiographie romancée qui a accouché de quelques livres intéressants mais se limite, le plus souvent, à des préoccupations étroitement personnelles. Inventé en 1977, par Serge Doubrovsky, pour désigner une « fiction d'événements et de faits strictement réels », le terme a aujourd'hui une connotation péjorative, si bien que ceux qui flirtent avec le genre ne s'en réclament pas pour autant. On pourrait ranger sous cette appellation les Mémoires très crus de Catherine Millet, *La Vie sexuelle de Catherine M.* (Seuil, 2001), ou encore *L'Inceste* (Stock, 1999) de Christine Angot, récit d'une relation sexuelle — véridique ou fictive, l'auteur ne le dit pas — avec son père. L'auteur s'est vu décerner le prix de Flore

2006 pour son avant-dernier livre *Rendez-vous* (Flammarion, 2006), une dissection exhaustive de ses relations amoureuses. À bien y regarder, on n'exagérerait pas en affirmant qu'une bonne moitié des romans publiés en France appartiennent à ce genre.

« L'autofiction est un vaste problème en France », m'avouait François Busnel, directeur éditorial du magazine *Lire*, en 2007 dans son bureau envahi par les livres. « J'estime que 70 % des 727 romans de cette rentrée relèvent de cette démarche. Si la littérature ne doit pas se cantonner à mes problèmes personnels, alors elle devient un exercice ardu, qui implique des recherches, le développement de personnages universels. Mais si je peux raconter une histoire d'amour, mes trajets en métro, ma rupture, alors tout devient plus facile. Avec le structuralisme et le nouveau roman, la littérature est devenue une sorte de thérapie. Si bien que tout le monde estime pouvoir écrire, aujourd'hui. » Anne Carrière, directrice de la maison d'édition qui porte son nom, dresse le même constat : « Le premier conseil que j'aimerais donner aux jeunes auteurs est : "Arrêtez de confier vos misères à la plume", écrivait-elle dans *Lire* en avril 2007. Les trois quarts des manuscrits que je reçois sont des psychothérapies, non des romans. Et, franchement, vos petits problèmes personnels n'intéressent personne. »

Ce trait pourrait expliquer le peu d'intérêt que rencontrent les romans français à l'étranger, en particulier dans le monde anglophone. Même Jean Baudrillard a avoué préférer la fiction américaine à son équivalent français. Pas un seul roman français n'apparaît dans la liste du *New York Times* des cinquante meilleurs romans de 2007, ni dans celle, dressée par le *Financial Times*, des vingt-neuf romans importants de 2007, aucun non plus dans la liste de *Time*, publiée en 2007, des cent meilleurs romans depuis la création du magazine en 1923. Francis Ponge, en 1974, a été le dernier écrivain français à remporter le prix Neustadt international de littérature en traduction, doté de 50 000 dollars, à cette réserve près que l'Algérienne Assia Djebar, couronnée en 1996, écrit en français. Le problème pourrait bien être l'incapacité de la fiction française et de ses auteurs à s'attaquer au monde réel. Ce en quoi ils se distinguent de leurs homologues anglophones. « La littérature continue à être considérée avec sérieux dans ce pays », me confiait Douglas Kennedy lors d'un déjeuner parisien. Mais, ajoutait l'auteur de *La Femme du cinquième* (Belfond, 2007), un best-seller dans sa version française, « la fiction américaine se préoccupe de la condition des Américains, d'une manière ou d'une autre. La production des romanciers français est intéressante, mais leur grosse lacune, c'est qu'ils n'observent pas la France ».

Rien, semble-t-il, ne dispose les auteurs français à explorer de nouvelles voies. La célébrité limitée aux frontières du pays les satisfait. « Le statut relativement enviable des auteurs, dans ce pays, a sa contrepartie, explique François Busnel. Aux États-Unis, les écrivains placent la barre très haut pour connaître le succès. Passer leur temps dans les soirées ne les intéresse pas. Ils n'ont pas l'équivalent du Flore pour se retrouver. Les écrivains français, eux, estiment qu'ils doivent se comporter en intellectuels. » La critique encourage cette attitude. En règle générale, elle défend les romans les plus abscons et déprécie les plus accessibles. L'exemple de Marc Lévy, auteur très populaire, est significatif : ses livres simples, jouant sur les émotions et d'une lecture facile, n'ont pas les faveurs de la critique. Ce qui pourrait expliquer son choix de s'installer à Londres, voilà quelques années. Frédéric Martel, du site nonfiction.fr, constate : « À peu près tous les livres qui marchent bien en France se sont imposés sans le soutien de la critique. »

Quant aux éditeurs, ils sont les premiers à vouloir perpétuer ce système. Du fait de la loi sur le prix unique du livre, mise en place en 1981 par Jack Lang, alors ministre de la Culture, ils réalisent une marge bénéficiaire sur un nombre d'exemplaires plus faible que leurs homologues étrangers. Nombreux sont les observateurs qui jugent que trop de livres sont publiés en France. « Nos vingt-cinq lecteurs travaillent sept jours par semaine et ils ne suffisent pas à la tâche, explique François Busnel, à propos de la méthode de travail en vigueur dans son magazine. Si bien que, sur les 727 romans publiés cet automne [2007], la moitié peut-être seront lus. Parmi ceux-là, 10 à 20 feront l'objet d'une recension et 6 ou 7 obtiendront un succès commercial. Cela n'empêche pas les éditeurs de garder le même rythme. Ils s'en moquent. Ils gagnent de l'argent, pas des sommes colossales mais suffisamment. » L'académicien Jean d'Ormesson tempère cette opinion : « On peut reprocher aux éditeurs de publier beaucoup trop. Mais il faut au moins constater que, s'ils mettent en circulation quantité de médiocrités, ils laissent rarement passer une œuvre géniale[1]. » Le reste du monde, hélas, ne remarque pas la différence.

6

Le cinéma est né en France. En 1892, Léon Bouly inventait la caméra. Trois ans plus tard, Auguste et Louis Lumière organisaient la première projection de l'histoire. Au début du XXe siècle, la France possédait la plus grande industrie cinématographique du monde. Mais la production de films fut réduite à peu près à néant pendant la Première Guerre mondiale et, quand la paix revint, Hollywood occupait

---

1. Cristina Nehring, art. cit.

déjà le terrain. Toutefois, la France garda une influence considérable dans l'univers du cinéma. Dans les années 1920, l'arrivée des productions hollywoodiennes aiguillonna la jeune génération de réalisateurs français. Ils formèrent une avant-garde qui changea les méthodes de tournage dans le monde entier. Sous l'impulsion de Louis Delluc, les réalisateurs français apprirent à utiliser les faux raccords, le flou, la caméra subjective et des méthodes de montage comme la superposition pour atteindre un résultat plus subjectif et plus impressionniste. Les surréalistes et le mouvement dada persévérèrent dans l'expérimentation et la France y gagna une place particulière : celle du pays où le cinéma était considéré comme un art.

Cette réputation fut confirmée dans les années 1950 et 1960 avec la Nouvelle Vague, courant qui rompait avec la lourde infrastructure des studios au profit de l'improvisation, de la lumière naturelle, des tournages en extérieur, du son direct et — parti pris plus décisif — du contrôle total par le réalisateur qui accédait ainsi au statut d'« auteur » de son film. François Truffaut, Jean-Luc Godard, Claude Chabrol et quelques autres gagnèrent par là un statut de héros du septième art dans le monde entier. Depuis, l'aura internationale du cinéma français s'est largement ternie.

Considérons trois décennies : de 1950 à la fin des années 1970, huit productions françaises ont obtenu l'Oscar du meilleur film étranger, plus qu'aucun autre pays sur la même période. Au cours des trois décennies suivantes, la France a remporté un seul Oscar dans la même catégorie (pour *Indochine*, en 1992). Le cinéma français peut se targuer d'un palmarès plus enviable au festival de Cannes, mais il est vrai qu'il joue là à domicile, avec quatre Palmes d'or pour la période 1950-1979 et cinq de plus depuis. Toutefois, deux des films récompensés après 1980 sont dus à des réalisateurs étrangers : *Underground*, d'Emir Kusturica, né en Yougoslavie, et *Le Pianiste*, de Roman Polanski, né à Paris mais élevé en Pologne et dont aucun des films n'a été réalisé en France. D'ailleurs, ces deux films ont été tournés hors de l'Hexagone, dans une langue autre que le français et avec des acteurs étrangers. Les films français ont aussi été largement récompensés à Berlin, remportant six Ours d'or depuis la création du festival en 1951. Toutefois, après *Alphaville*, en 1965, la France n'a pas été distinguée pendant trente ans.

Que s'est-il donc passé à partir des années 1970 ? La télévision a capté une large portion du public qui fréquentait les salles obscures, et ceux qui ne les ont pas désertées ont accordé leurs faveurs aux productions hollywoodiennes à gros budget. Ainsi, d'après le Centre national de la cinématographie (CNC), de mars 2007 à février 2008, les films américains représentaient 43,2 % de parts de marché, soit à peine moins que les films français (46,4 % de parts de marché). L'augmentation des aides publiques à la production a permis de conserver une industrie cinématographique, et des réalisateurs étrangers — Jane Campion, David Lynch, Wong Kar-Wai — tirant parti de cette situation ont travaillé en France. Toujours d'après les statistiques du CNC, 228 films ont été produits en France en 2007, chiffre sans équivalent dans aucun autre pays d'Europe. En outre, avec environ 5 300 écrans, le pays occupe le premier rang européen et le quatrième mondial, après la Chine, les États-Unis et l'Inde.

Mais, à la différence des États-Unis et de l'Inde, la France protège son industrie cinématographique avec tout un arsenal d'aides publiques et de quotas. En conséquence, la production nationale se cantonne au domaine de la comédie de mœurs à petit budget ou exploite d'autres veines aussi futiles, à destination du marché intérieur. Ce qui ne saurait suffire pour résister aux importations hollywoodiennes. Malgré les efforts des réalisateurs français pour pénétrer les marchés étrangers, au cours des dernières années, le seul film au parfum vaguement français qui ait connu un triomphe commercial aux États-Unis, en 2007, aura été le dessin animé *Ratatouille*. Mais, désolé, il est sorti des studios Disney.

C'est vrai, *La Môme* (le film a été rebaptisé *La Vie en rose* pour le marché anglophone) a engrangé 10 millions de dollars aux États-Unis en 2007, arrivant ainsi en tête du box-office des films étrangers, et l'Oscar de la meilleure actrice a été décerné à Marion Cotillard. Mais ce succès est tout relatif. Pour la même année 2007, le dernier des cent films les plus rentables aux États-Unis a gagné deux fois plus d'argent que *La Môme*. D'une manière générale, les films français ne rencontrent guère de succès à l'étranger. Seul un titre sur cinq est distribué aux États-Unis, un sur trois en Allemagne. Le site web Internet Movie Database (IMDB) mentionne une seule production française dans sa liste mondiale des films les plus rentables de l'histoire : il s'agit du *Cinquième Élément*, qui arrive au deux cent septième rang avec 263 millions de dollars. Sur IMDB, toujours, aucun titre français ne figure dans la liste des deux cent cinquante plus gros succès au box-office américain, toutes époques confondues. En outre, selon *Variety*, la tendance est défavorable : en 2007, les films français ont été vus par 57 millions de spectateurs hors de l'Hexagone, selon une estimation, soit 9 % de moins que l'année précédente et 32 % de moins qu'en 2005.

Un autre phénomène irrite les Français : leurs films s'imposent parfois aux États-Unis mais c'est alors sous la forme de remakes. Ainsi, *Boudu sauvé des eaux* a été repêché sous le nom du *Clochard de Beverly Hills*, *Le Grand Blond avec une chaussure noire* ressemelé en *Man with the Red Shoe*, *Trois Hommes et un couffin* a accouché de *Three Men and a Baby*, *La Vie continue* s'est prolongé en *Men Don't Leave*, *La Cage aux folles* remplumée en *The Birdcage*, *L'Appartement* repeint en *Wicker Park*... Avec chaque fois les mêmes recettes : nouveau réalisateur, nouveau scénario, nouveaux acteurs. Si le transfert s'opère parfois d'ouest en est, d'une rive à l'autre de l'Atlantique — *De battre mon cœur s'est arrêté,* réalisé par Jacques Audiard en 2004, s'inspire du *Fingers* de James Toback de 1978 —, le trafic est autrement intense dans l'autre sens. Le monde, y compris sa composante anglo-saxonne, apprécie les films français, mais pas dans leur facture française. Ainsi, on voit mal comment le plus grand succès de l'histoire du cinéma français, *Bienvenue chez les Ch'tis*, pourrait séduire une audience étrangère autrement que par le biais de remakes, tellement son thème est franco-français jusqu'à la caricature. C'était d'ailleurs déjà le cas de *La Grande Vadrouille*, précédent détenteur du record du nombre d'entrée pour un film français.

En France, le septième art est considéré avec le plus grand sérieux. Aucun autre pays ne peut sans doute rivaliser par le nombre de critiques, de revues et de programmes universitaires dédiés au cinéma rapporté à la population totale. Mais le problème tient à la qualité ou, du moins, à la perception de celle-ci. Comme pour les romans, un trop grand nombre de films français se distinguent d'abord **par** leur emphase intellectuelle, leur manque d'action, la priorité accordée aux relations entre les individus aux dépens des interrogations sociales ou politiques. Sophie Marceau a décrit d'une phrase la production française moyenne : « Annie couche avec Daniel et Jérôme couche avec Claude, ensuite Daniel couche avec Claude et ensuite ils en parlent tous les quatre au restaurant[1]. » Même les très respectés *Cahiers du cinéma* ont dû le concéder en tirant le bilan de l'année cinématographique 2004 : « Les films importants de 2004 entretiennent un rapport assez lâche avec l'actualité : presque pas de cinéma diagnostiquant "l'aujourd'hui" [...]. Il y a eu cette année de nombreux films qui prétendent se confronter à la réalité, en particulier sur le mode du documentaire engagé. 2004 est aussi l'année de Michael Moore [*Fahrenheit 9/11*], même si nous ne nous sommes pas du tout reconnus dans cette approche. Le cinéma qui nous aura le plus intéressés invente des rapports beaucoup plus construits, incluant de la distance avec la réalité[2]. »

Mais les stéréotypes ont du plomb dans l'aile. Ces dernières années, des réalisateurs français se sont efforcés de faire des films plus accessibles, sus-

---

1. Charles Bremner, « France's beautiful boring movies », *The Times*, 18 novembre 2005.
2. François Bégaudeau, Emmanuel Burdeau, Stéphane Delorme, Jean-Michel Frodon, Jean-Pierre Rehm, « Top 10 2004 », *Les Cahiers du cinéma*, février 2005.

ceptibles de séduire un public étranger et d'attirer dans les salles les jeunes générations nourries de cinéma hollywoodien. *Le Fabuleux Destin d'Amélie Poulain* (2001), *Les Choristes* (2004), *Un long dimanche de fiançailles* (2004) ont rencontré le succès commercial mais pas la sympathie de la critique. De fait, chacun d'entre eux a été stigmatisé pour les mêmes raisons : rebondissements trop prévisibles, manipulation des sentiments, investissement dans les moyens techniques aux dépens du contenu. Autrement dit, les reproches adressés par la critique française aux films hollywoodiens.

Plutôt que de singer Hollywood, la France pourrait trouver plus fructueux de produire le type de films à budget moyen susceptibles de combiner succès public et éloge critique, sur le modèle de productions américaines comme *No Country for Old Men*, *3 h 10 pour Yuma* ou *La Guerre selon Charlie Wilson*, pour prendre des exemples parmi les productions les plus récentes. Le cinéma hexagonal devrait s'inspirer du modèle de *La Môme* : un film modeste, avec le pouvoir émotionnel et la simplicité narrative des chefs-d'œuvre du cinéma français d'antan. Avec le risque que, sur les écrans, la France se complaise dans les années 50, comme une veille fille qui se serait trop fardée pour paraître encore jeune.

S'il est un domaine dans lequel elle peut espérer donner des leçons de cinéma au monde, c'est bien celui du documentaire. En témoignent deux gros succès du box-office : *Être et Avoir* de Nicolas Philibert et *La Marche de l'empereur* de Luc Jacquet — pour ce dernier, nul doute que son succès international repose en grande partie sur l'absence de dialogues et donc de sous-titres ou de doublage. Les films documentaires, après tout, traitent du monde réel et non des problèmes sans intérêt que rencontrent des personnages inventés. À ce propos, la Palme d'or remportée par *Entre les murs* lors de la dernière édition du festival de Cannes atteste d'une excellence française en matière de films documentaires et de renouvellement du genre. Car si le film de Laurent Cantet est une fiction par son écriture et sa mise en scène, il se prétend également un compte rendu d'une réalité à laquelle il colle dans toutes ses dimensions (« acteurs » amateurs, décor unique et réel, recours à la vidéo, intrigue inspirée du quotidien de l'auteur du scénario, sujet d'actualité...). Peut-être le salut du cinéma français à l'international réside-t-il dans cette hybridation puisque, avant même de remporter la Palme d'or, *Entre les murs* avait déjà été prévendu dans 43 pays.

Avec l'internationalisation du secteur du cinéma — financement assuré par plusieurs pays, professionnels multipliant les allers-retours depuis Hollywood — il devient de plus en plus difficile d'assigner une nationalité à un film. L'exemple, déjà évoqué, du *Pianiste*, le montre. La France, en protégeant son marché national, s'est largement tenue à l'écart de cette forme de mondialisation. Mais elle ne pourra pas toujours conserver cette position privilégiée. Déjà, les grosses productions comme les volets successifs de *Harry Potter* sont distribuées dans des centaines de salles, laissant un nombre restreint d'écrans à ces nouveautés françaises modestes et intéressantes, appréciées des critiques et des cinéphiles. Faudra-t-il encore accroître les aides publiques à ces productions ? Ou bien les réalisateurs français se montreront-ils capables de survivre dans ce nouvel environnement, plus concurrentiel ?

Certains d'entre eux y parviennent déjà. Cédric Klapisch, avec *L'Auberge espagnole*, en 2003, Matthieu Kassovitz avec *Les Rivières pourpres* et sa suite, la série des *Taxi*, exploitant la veine des films d'action de Hong Kong, ou encore le récent *Astérix aux Jeux olympiques*, conçu dès le départ pour le marché international, ont eu du succès auprès du grand public. Mais pas auprès de la critique, toujours réticente à l'égard des films commerciaux. « En France, nous avons un problème », confiait Luc Besson en buvant un verre avec un groupe de journalistes dont j'étais, en 2005. « Nous refusons d'admettre que le cinéma est une industrie et que les films peuvent aussi être distrayants. » À défaut de trouver les recettes pour produire des films dont le monde a envie, l'industrie nationale du cinéma pourrait bien se condamner à un très long dimanche de fiançailles.

7

À l'égal du cinéma et de la littérature, le théâtre en France s'enracine dans une longue histoire et évoque des talents illustres : depuis Corneille, Molière et Racine jusqu'à Giraudoux, Beckett, Genet, Anouilh, Ionesco, Koltès ou, plus récemment, Denise Bonal, Michel Vinaver et Yasmina Reza. Mais, hormis une poignée de salles privées — on en dénombre cent cinquante-cinq à Paris et une seule à Lyon —, le théâtre est d'abord une activité de l'État. Les pouvoirs publics subventionnent 5 théâtres nationaux, 39 centres dramatiques, 69 scènes nationales, 77 scènes conventionnées et 600 compagnies dans le pays. Ces quelque 800 institutions parapubliques ont accueilli, selon les estimations, 3,8 millions de spectateurs payants pendant la saison 2004-2005, soit une moyenne de 396 spectateurs par mois chacune. Le résultat ne brille guère si on le compare à celui des 46 théâtres privés qui publient leurs chiffres de fréquentation : ils annoncent 3,3 millions de spectateurs sur la même période, soit une moyenne mensuelle par salle de 6 000 spectateurs.

Le spectacle vivant est considéré comme un élément précieux du patrimoine culturel dans la plupart des pays du monde, la France ne fait donc pas figure d'exception avec sa politique de subventions. Toutefois, une question doit être posée : ce soutien est-il efficace ? Le ministère de la Culture a annoncé, en 2007, son intention de mesurer précisément la fréquentation des théâtres subventionnés (aucun chiffre fiable n'est disponible à ce sujet) et a menacé de mettre en place des critères plus stricts pour l'attribution des subventions. Le ministère a une autre préoccupation : les productions françaises sont-elles suffisamment connues à l'étranger ?

Toute enquête sur ce dernier sujet conclura probablement par la négative. Hormis les classiques du répertoire, joués depuis longtemps dans des traductions, le théâtre français est rarement applaudi à l'étranger. Au cours des quatre dernières décennies, une seule pièce originale a remporté un Tony Award, la distinction la plus importante pour le théâtre aux États-Unis. C'était en 1994 : *Art*, de Yasmina Reza, recevait, cette année-là, le Tony de la meilleure pièce. Aucune création française n'a jamais obtenu le prix de la meilleure pièce, que décerne chaque année, depuis soixante-dix ans le New York Drama Critics'Circle, toutefois la mise en scène des *Liaisons dangereuses* par le Britannique Christopher Hampton a été désignée meilleure pièce étrangère, en 1986-1987. Trois œuvres contemporaines ont été honorées du titre de meilleure pièce lors de la cérémonie britannique des Evening Standard Theatre, créée voilà cinquante-deux ans : *Becket* et *Pauvre Bitos,* toutes deux de Jean Anouilh, ainsi que *La guerre de Troie n'aura pas lieu,* de Jean Giraudoux. Au Royaume-Uni, toujours, aucune pièce française n'a gagné le Laurence Olivier Award de la meilleure création, même si on peut toutefois noter que *Le Retour de Martin Guerre* d'Alain Boublil et Claude-Michel Schönberg a reçu le prix de la meilleure comédie musicale en 1997.

Il va de soi que la langue crée un obstacle, mais la nature même des créations françaises en pose un autre. De la même manière que la fiction a subi l'influence néfaste du nouveau roman, l'écriture dramatique s'est engagée dans la voie de l'abstraction après la Seconde Guerre mondiale — époque marquée par les œuvres de Ionesco, Beckett, Sartre, et par le théâtre de l'absurde. Aujourd'hui, de nombreuses pièces françaises, en particulier celles créées dans le cadre du théâtre subventionné, sont des œuvres d'un intellectualisme marqué aux tendances souvent claustrophobes, peu faites pour l'exportation.

S'arrêter sur un exemple particulier pourra être jugé injuste, toutefois je continue de m'interroger sur une pièce qui n'aurait pas pu voir le jour sans le système d'aides publiques. À Lyon, le théâtre Les Ateliers, une salle subventionnée, a produit une version condensée de *La Maman et la Putain,* film plutôt décousu d'une durée de 3 h 40, réalisé par Jean Eustache en 1973. Le résumé qu'en donne le théâtre est édifiant : « Alexandre est un jeune homme oisif qui passe son temps à lire dans les cafés du Quartier latin. Il vit avec Marie. Alors qu'il tente de retenir Gilberte, son ancien amour, sur le point d'en épouser un autre, il rencontre Véronika, jeune infirmière qui collectionne les conquêtes. » Voilà qui rappelle fortement les romans ou les films français les plus récents. Je doute que ce projet trouve un prolongement à Broadway ou dans le West End.

Le théâtre français n'est pas mort pour autant. Les festivals, sur le modèle d'Avignon, fleurissent. Le très bon score d'audience de France 2, lors de la diffusion en direct des *Fugueuses*, succès du théâtre parisien des Variétés en 2007, ouvre sans doute la voie à d'autres retransmissions télévisées. La pièce, écrite par Pierre Palmade et Christophe Duthuron et interprétée par le duo Line Renaud-Muriel Robin, a rassemblé 8 millions de téléspectateurs, record historique pour la retransmission en direct d'une pièce de théâtre. À la suite de cet événement, France 2 s'est engagée à programmer d'autres captations de pièces, avec quelques réserves toutefois : représentations d'une durée raisonnable, changements de décors limités et présence de célébrités à l'affiche. « Sans tomber dans la caricature, il est évident que nous ne ferons pas *Le Soulier de satin* à 20 h 50 », a précisé Patrice Duhamel, directeur général de

France Télévisions, évoquant la pièce, particulièrement longue et difficile, de Paul Claudel, créée en 1943.

Hélas, la France a produit beaucoup trop de *Soulier de satin* et pas assez de *Fugueuses.* Hormis la pétillante pièce de Marc Camoletti, *Boeing Boeing,* de 1965 — dont la reprise ce printemps à New York a marqué la saison théâtrale pour recevoir en juin le Tony Award de la meilleure reprise —, les derniers succès d'origine française qui ont laissé une empreinte internationale se limitent aux comédies musicales de Claude-Michel Schönberg et Alain Boublil, *Les Misérables* et *Miss Saigon,* toutes deux créées dans les années 80. Mais, introduire le répertoire dramatique français sur les scènes étrangères n'a jamais été facile : « Les pièces ont cessé d'être de simples pantins aux articulations bien huilées que chaque pays peut revêtir de son costume national au prix de légères retouches ici ou là, lit-on ainsi dans le *New York Times.* L'écheveau de laine bien ordonné que l'auteur français pouvait faire glisser de ses bras à celui de son adaptateur qui réarrangeait un fil ou deux peut être désormais considéré comme un jeu d'enfant appartenant à un passé révolu. » Cette observation pertinente date de 1886.

8

La France a longtemps été le centre mondial de l'art. Au XIXe siècle et durant une bonne part du XXe, le pays a vu naître ou a guidé les premiers pas du fauvisme, de l'impressionnisme, du surréalisme, du cubisme et d'autres mouvements artistiques majeurs. Quel autre pays peut revendiquer un Panthéon d'artistes aussi illustres au cours de cette période ? Pensez à David, Ingres, Géricault, Delacroix, Courbet, Manet, Degas, Cézanne, Monet, Rodin, Renoir, Gauguin, Seurat, Toulouse-Lautrec, Matisse, Léger, Picasso, Braque, Duchamp, Chagall, Staël, Klein...

Aujourd'hui, l'art reste une affaire sérieuse en France. Les grands musées de la capitale comptent au nombre des plus remarquables et indiscutablement des plus fréquentés. Au Louvre, six millions de visiteurs défilent chaque année devant le portrait de Mona Lisa ; dans son nouvel habillage, le Palais de Tokyo est un des lieux d'exposition les plus importants pour l'art contemporain ; quant au centre Georges-Pompidou, il est incontournable pour l'art du XXe siècle. La France peut aussi revendiquer quelques-uns des artistes vivants les plus connus : Louise Bourgeois, Pierre Soulages, Daniel Buren, Annette Messager, Christian Boltanski, Pierre et Gilles, Robert Combas, Pierre Huyghe, Philippe Parreno, Adel Abdessemed.

Mais le temps où la France était le centre mondial de l'art est révolu. Non que les artistes français ne parviennent plus à produire des œuvres intéressantes ou dignes d'attention. En 2007, l'installation réalisée par Sophie Calle pour le pavillon français de la Biennale de Venise, « Prenez soin de vous », a été l'une des sensations de la manifestation. Mais, en règle générale, le monde regarde ailleurs. Paris a perdu le statut qui était le sien entre le milieu du XIXe siècle et celui du XXe. Tout se passe désormais entre Londres, New York et Berlin. « Aujourd'hui, les États-Unis définissent ce qu'est l'art dans le monde, affirme Christophe Boïcos, galeriste et conférencier d'art parisien. L'art contemporain est vigoureux là où l'économie est la plus dynamique. Le constat vaut pour Londres depuis les années 90 et, de plus en plus, pour Berlin. »

Comme on l'imagine, il n'est pas facile de mesurer l'influence d'un artiste. Le magazine économique allemand *Capital*, qui suit de très près la scène artistique internationale, a mis au point un instrument fiable ou, du moins, généralement reconnu comme tel. Chaque année, le magazine publie son *Kunst Kompass* (boussole de l'art), soit la liste des cent artistes les plus influents dans le monde, à partir d'une formule complexe qui prend en compte divers critères tels que les mentions dans les principales publications consacrées à l'art, la présence d'œuvres dans les grandes collections et la participation aux manifestations d'envergure internationale. En 2007, l'Allemagne comptait trente-six noms sur cette liste, les États-Unis, vingt-six, le Royaume-Uni, onze. La France, elle, devait se contenter de quatre mentions (Christian Boltanski, Daniel Buren, Sophie Calle et Pierre Huyghe). Aucun Français n'apparaissait parmi les dix premiers, alors que quatre Allemands et quatre Américains y figuraient.

Par ailleurs, les œuvres d'artistes français en activité atteignent des prix bien inférieurs à celles de leurs homologues étrangers auprès des collectionneurs. Selon l'étude publiée par Artprice à l'occasion de la Fiac 2007, Lullaby Spring, une pièce du Britannique Damien Hirst en tête du classement des enchères d'artistes nés après 1945, a atteint 17 millions de dollars (soit environ 11 millions d'euros), record mondial. Le premier Français dans le classement des 500 artistes établi en fonction des transactions sur le marché des ventes aux enchères par Artprice est Robert Combas : avec une cote de 7 400 euros par pièce, il occupe seulement la 108e place ; le second Français, Bernard Frize, s'honore de la 238e place quand Sophie Calle pointe à la 302e place. Même dans leur propre pays, les artistes français ont parfois du mal à se faire respecter. En 2007, Daniel Buren a ainsi menacé de détruire *Les Deux Plateaux*, son installation de colonnes ornant la cour du Palais-Royal qu'il considère comme

« [s]a pièce la plus connue au monde », parce qu'il reprochait à l'État de ne pas pourvoir à son entretien.

Dans le passé, Paris occupait la première place sur le marché international de l'art. Ses galeries et ses salles de ventes se taillaient la part du lion. En 1950, encore, la valeur des transactions réalisées par le principal commissaire-priseur parisien, Étienne Ader, était deux fois supérieure à celle de ses concurrents londoniens réunis, Christie's et Sotheby's. Comme ses pairs, il tirait bénéfice d'un arsenal obscur de règlements et d'un système d'imposition favorable qui, depuis des siècles, tenaient la concurrence étrangère à l'écart du marché français. Mais, avec l'internationalisation du marché de l'art, ces mesures protectionnistes ont fini par handicaper les acteurs du marché français dans leurs efforts pour lever des capitaux et affronter la concurrence internationale. Au bout du compte, les salles de vente françaises ont fait un chiffre d'affaires de 1 milliard de dollars en 1998, contre 4,2 milliards pour les États-Unis et 2,4 milliards pour le Royaume-Uni.

Sous la pression des autorités européennes de la concurrence, la France a entrepris de libéraliser son marché en 2000. Mais il était déjà trop tard pour remettre en cause les positions bien établies des Américains et des Britanniques. En conséquence, les salles de vente françaises ne traitent plus, aujour-d'hui, que 8 % des ventes publiques d'art contemporain, selon les estimations d'Alain Quemin, sociologue et professeur à l'université de Marne-la-Vallée, contre 50 % pour les États-Unis et 30 % pour le Royaume-Uni. Le tableau d'ensemble est pire encore s'il faut en croire les chiffres donnés par Artprice qui attribue à la France 6,6 % du total des ventes d'art, toutes périodes confondues. Christie's est maintenant la première société de ventes aux enchères dans le monde et, bien que rachetée par le milliardaire français François Pinault en 1998, elle a conservé son siège londonien (Sotheby's est cotée en bourse et a son siège aux États-Unis).

Selon toutes les estimations, la troisième place qu'occupe aujourd'hui la France sur le marché de l'art devrait lui être bientôt ravie par la Chine. Son déclin est particulièrement évident sur le marché de l'art contemporain. L'année dernière, ce secteur — bon indicateur de dynamisme culturel — ne re-présentait que 2,8 % des ventes aux enchères en France, contre 9,9 % à l'échelle internationale. Dans son rapport annuel pour 2007, Artprice en concluait que « le marché des ventes publiques françaises se fossilise. Les ventes de photographie primitive, la peinture XIXᵉ et l'Art déco sont des niches dans lesquelles la France s'est peu à peu retranchée ».

Dans le même ordre d'idées, Paris n'est plus la capitale des grandes manifestations artistiques de dimension internationale, un statut qui était le sien au XIXᵉ siècle, quand les expositions internationales et le Salon des refusés modifiaient le cours de l'histoire de l'art. Aujourd'hui, le rendez-vous le plus notable organisé en France, la Fiac, a perdu de son influence, voire de ses dimensions, au profit d'autres foires : Art Basel, en Suisse, Art Basel Miami Beach, en Floride, la Documenta de Kassel, en Allemagne et, née plus récemment, la Frieze Fair, à Londres. Si les musées français ont gardé intacte leur notoriété, le prestige national a toutefois été ébranlé, en 2006, lorsque François Pinault, exaspéré par les lenteurs administratives, a abandonné son projet de construire un musée destiné à abriter sa collection d'art contemporain sur l'île Seguin à Boulogne-Billancourt, pour se rabattre sur Venise. Que les principaux collectionneurs désertent leur propre pays au profit de ses voisins pourrait bien être le signe que l'art n'est plus considéré avec le sérieux nécessaire en France.

9

Une forme d'expression artistique peut être qualifiée, à proprement parler, de don de la France au monde. En 1826, un scientifique amateur, Nicéphore Niepce, insère une plaque enduite de bitume de Judée dans une boîte munie d'une lentille. C'est dans sa propriété, proche de Chalon-sur Saône, qu'il expérimente son équipement. L'image qui en résulte, « Vue d'une fenêtre de la propriété du Gras, à Saint-Loup-de-Varennes[1] », a longtemps été considérée comme la toute première photographie de l'histoire. L'année suivante, Niepce entame une correspondance avec un peintre et décorateur de théâtre parisien, Jacques Daguerre. Niepce devait décéder avant que cette collaboration ne porte ses fruits mais, en 1837, Daguerre rend public un procédé simple et fiable qui permet de fixer une image sur une plaque photosensible. Il cède les droits de son procédé à l'État français qui, à son tour, l'offre librement — et avec lui un nouveau mode d'expression artistique — au reste du monde.

Avec le daguerréotype et les procédés qui lui succédèrent, une véritable frénésie de la prise de vue s'empara du monde. La France en demeura l'épicentre. Édouard-Denis Baldus, Nadar, Maxime Du Camp, Auguste Salzmann, Félix Bonfils et Eugène Atget allaient en fixer les canons artistiques pour plus d'un siècle. Le nouveau médium influença le

1. Le cliché, hélas, ne se trouve pas en France. Dans une tentative infructueuse d'intéresser la Royal Society à sa découverte, Niepce se rendit à Londres avec sa photographie. Où sa trace se perd, jusqu'en 1952. Cette année-là, l'historien de la photographie Helmut Gernsheim l'acheta et en fit don à l'Université du Texas. Elle y est encore conservée.

travail de Camille Corot ou de Jean-François Millet, qui s'entouraient de photographies pour mieux peindre les paysages. Degas s'adonnait lui-même à la photographie. Man Ray et d'autres surréalistes prisaient particulièrement les scènes de rues parisiennes d'Atget et son sens de la composition. La chronophotographie, procédé mis au point par Étienne-Jules Marey pour décomposer le mouvement animal ou humain, fut une source d'inspiration pour les futuristes italiens qui cherchaient à décrire la vitesse. Entre photographie et peinture, les influences furent réciproques : dans leurs clichés de paysage, Gustave Le Gray et Henri Le Secq recréaient une atmosphère proche de celles des toiles de Millet et des autres peintres de l'école de Barbizon. L'intérêt précoce des photographes français pour le nu allait certes alimenter une industrie de la carte postale coquine mais aussi devenir un genre artistique et influencer des générations de peintres.

Dans les années 1920, la prééminence de la France dans le domaine de la photographie était largement reconnue. Les organisateurs de l'exposition « Paris, capitale photographique 1920-1940 », programmée pour 2009 à l'hôtel de Sully, à Paris, écrivent ainsi dans leur présentation sur le site web de l'association Le Jeu de paume : « Dès le début des années 1920, Paris s'affirme comme nouveau lieu de promotion des avant-gardes et, sans aucun doute, comme carrefour de la nouvelle photographie en

Europe. Si la capitale française devient, à l'époque, ce lieu de rencontres et d'échanges pour des photographes de nationalités et d'horizons divers, c'est parce qu'elle représente alors un modèle de modernité et un espoir économique au lendemain de la Première Guerre mondiale. Mais c'est aussi parce qu'elle s'avère être, aux yeux de nombreux émigrants contraints à l'exil, un lieu de refuge pour les libertés politiques ou confessionnelles. » L'Allemande Ilse Bing, le Hongrois Brassaï et le Lituanien Moï Ver compteront au nombre de ces émigrés.

Au milieu du siècle, la prédominance française est encore patente. Elle s'exerce, en particulier, dans un genre alors nouveau, le photojournalisme, où s'imposent la spontanéité et le sens narratif d'artistes comme André Kertész, Henri Cartier-Bresson ou Édouard Boubat. Après la Seconde Guerre mondiale, Cartier-Bresson cofonda la première grande agence photo organisée en coopérative, Magnum, et obtint que les photographes gardent les droits sur leurs travaux, jusque-là cédés aux magazines qui les publiaient. C'est aussi à Paris que l'agence Rapho (Willy Ronis, Raymond Grosset, Robert Doisneau) allait renaître et d'autres apparaître, comme Gamma (Hubert Henrotte, Raymond Depardon), Sygma, Sipa, Vu... Ce statut de capitale du photojournalisme accompagnait l'essor de grands magazines de reportages comme *Life* ou *Paris-Match*, tandis que la

France asseyait sa réputation à travers les Rencontres internationales de la photographie d'Arles, dès 1969, du festival Visa pour l'image de Perpignan, né en 1989, ou de Paris Photo, à partir de 1997.

Cet âge d'or — ou peut-être faudrait-il l'appeler argentique — est apparu comme révolu ces dernières années. Les magazines de reportage traversent une passe difficile et la plupart des grandes agences parisiennes ont mis la clé sous la porte quand elles n'ont pas été rachetées par des sociétés américaines. La disparition de ces agences et l'émergence de moyens techniques permettant à leurs remplaçantes d'opérer depuis n'importe quel point du globe ont convaincu les grandes entreprises de presse qu'elles pouvaient se passer d'un bureau photos à Paris. En 2001, j'ai ainsi eu la pénible responsabilité de couper dans les effectifs du service photo de *Time* à Paris.

Simultanément, la photographie évoluait. Dans les années 1950, le travail du Suisse Robert Frank a suscité un nouvel intérêt pour la photographie de rue. Diane Arbus, Garry Winogrand, Ed Ruscha, Joel Meyerowitz et d'autres Américains allaient saisir l'agitation brutale de la vie urbaine, comme s'y était employé Atget cinquante ans plus tôt à Paris, mais dans une veine différente. La scène s'était déplacée vers une autre ville mythique à la réalité plus rugueuse. De plus, les photographes américains ont alors commencé à exploiter les possibilités offertes par la couleur, longtemps méprisée par les professionnels qui la considéraient comme une technique gentillette, juste digne des photographes du dimanche. Aujourd'hui, les photographes les plus cotés — Jeff Wall, Martin Parr, Andreas Gursky — travaillent essentiellement en couleurs et, hormis le Britannique Martin Parr, aux États-Unis. Une seule photographe française installée en France apparaissait dans la liste des cent figures les plus importantes du milieu, établie en 2005 par le magazine *American Photo*. Il s'agissait d'Alexandra Boulat, décédée en 2007. Les trois autres Français qui y figuraient — le photographe de mode Patrick Demarchelier, le photojournaliste Gilles Peress et le retoucheur Pascal Dangin — vivent aux États-Unis depuis des années.

Le marché international de la photo d'art poursuit sa croissance : entre 1990 et 2007, selon Artprice, les prix atteints dans les ventes publiques ont augmenté de 70 % pour la photographie contre 43 % pour la sculpture et 15 % pour la peinture. Ce marché, comme les autres, s'est déplacé vers New York et Londres qui assurent, respectivement, 65 % et 19 % des transactions, contre 9 % pour Paris. En moyenne, dans les ventes aux enchères, une photographie signée par un Américain atteint un prix sept fois plus élevé qu'une autre dont l'auteur est français. Certes, la France abrite un grand nombre de photographes de talent (Carlos Freire, Stéphane Couturier, Valérie Belin, Philippe Gronon et Matthias Olmeta par exemple) mais leur notoriété ne franchit pas les frontières. Et, toujours en termes de prix, leurs travaux ne sont guère susceptibles de rivaliser avec ceux de l'Allemand Andreas Gursky, dont la pièce *99 Cent II* a battu tous les records dans ce domaine avec une enchère à 2,27 millions d'euros en 2006, pas plus qu'avec ceux des Américains Jeff Wall, Richard Prince ou Cindy Sherman.

L'histoire d'amour entre la France et la photographie n'est pas dénuée d'ambiguïtés. Après tout, la photographie a partie liée avec l'art et le commerce, le journalisme et la technologie. À la différence de la peinture, de la musique, des récits ou de la danse, elle n'a pas jailli spontanément d'un besoin vital — et ancestral — d'expression. Inventée par des bricoleurs, pendant la révolution industrielle, elle reste marquée par son ambivalence à l'égard de la technique et du commerce. En outre, elle intègre aujourd'hui une telle quantité de procédés de retouche que n'importe qui peut, avec un peu d'habileté, aboutir à un résultat honnête. La nature fondamentalement démocratique de la photographie et le caractère souvent accidentel de ses productions gênent les critiques et les esthètes élitistes pour lesquels l'art doit entretenir des liens plus étroits avec le talent. Baudelaire pouvait ainsi déplorer dans *Le*

Salon de 1859 à propos de la photographie : « La Fatuité moderne aura beau rugir, éructer tous les borborygmes de sa ronde personnalité, vomir tous les sophismes indigestes dont une philosophie récente l'a bourrée à gueule-que-veux-tu, cela tombe sous le sens que l'industrie, faisant irruption dans l'art, en devient la plus mortelle ennemie, et que la confusion des fonctions empêche qu'aucune soit bien remplie. » La critique américaine Susie Linfield formule le dilemme simplement : « Là où règne un tel égalitarisme, ne peut-on craindre la prochaine abolition de toutes distinctions ? Qui peut admirer une activité — et *a fortiori* un art — que tant de gens peuvent pratiquer avec d'aussi bons résultats ? La promesse démocratique de la photographie a toujours contenu une menace populiste[1]. »

Dans le domaine de la photographie, la France est aujourd'hui une province périphérique repliée sur sa riche histoire. Ses nombreux et prestigieux musées multiplient les rétrospectives consacrées aux gloires éteintes, ses commissaires-priseurs se spécialisent dans les ventes de reliques aux teintes sépia datant d'un âge révolu. Mais où sont les Jeff Wall, Richard Prince, Cindy Sherman et Andreas Gursky français ? À New York, pour nombre d'entre eux. Les jeunes photographes talentueux qui vivent

---

1. Susie Linfield, « The treacherous medium », *Boston Review,* septembre-octobre 2006.

et travaillent en France risquent de sombrer dans l'oubli s'ils se sentent mésestimés.

Helmut Newton, le célèbre photographe de mode, volontiers provocateur, a beaucoup travaillé en France, pendant les deux décennies où il a vécu à Paris comme dans la période suivante, lorsqu'il s'était installé à Monaco. Évoquant les influences qu'il avait subies, il a cité *Paris la nuit* de Brassaï. Peu de temps avant sa disparition, en 2004, Helmut Newton a proposé d'offrir cinquante de ses photos à la France, un cadeau d'autant plus appréciable que l'État peut difficilement rivaliser avec les acheteurs les plus riches pour étoffer ses collections photographiques (les clichés de Newton partent généralement à des prix très élevés). L'initiative ne suscita qu'une indifférence polie, ce dont il se plaignit. Il suggéra que ses photographies soient exposées au musée du Jeu de paume, qui rouvrait cette même année. Le ministère de la Culture regimba, Helmut Newton reprit alors sa proposition et légua son fonds de photographies et d'archives à Berlin, sa ville d'origine, qui s'empressa de lui consacrer un musée. Victime sans doute de sa réussite financière et de sa spécialisation dans les photos de mode et de nus — des genres longtemps considérés comme vulgaires —, Newton avait confié au *Monde* : « Les musées français et le monde de l'art contemporain me méprisent. » Baudelaire en serait ravi. La France devrait s'en inquiéter.

10

Une discipline échappe toutefois au déclin : l'architecture. Depuis l'invention du gothique, au XIIᵉ siècle, en passant par l'apogée de l'école des Beaux-Arts, au XIXᵉ siècle, jusqu'à Le Corbusier, la France a longtemps joué un rôle décisif dans ce domaine. Parmi les plus illustres praticiens, on compte François Mansart, Louis Le Vau, Vauban, Jules Hardouin-Mansart, Claude Nicolas Ledoux, Victor Baltard, Charles Garnier, Hector Guimard, Robert Mallet-Stevens et des dizaines d'autres. Aujourd'hui encore, la France peut s'enorgueillir de plusieurs notoriétés : Roger Taillibert, auteur du stade olympique de Montréal ; Paul Andreu qui a signé l'Opéra de Pékin ; Bernard Tschumi, auteur de la Blue Tower à New York ; Christian de Portzamparc qui s'est fait connaître avec la Cité de la musique, à la Villette, premier architecte français à recevoir le prix Pritzker, doté de 100 000 dollars de récompense, et Jean Nouvel, qui a conçu l'Institut du Monde arabe ainsi que le musée du quai Branly, tous deux à Paris, lui aussi lauréat du Pritzker (en 2008). Sans parler du jeune duo formé par Anne Lacaton et Jean-Philippe Vassal ou de Jean-Michel Wilmotte, spécialisé dans l'architecture d'intérieur et le design.

Les architectes français ont longtemps bénéficié d'un atout particulier : la volonté des dirigeants du pays de laisser une trace de leur passage à travers une politique de grands travaux. François Mitterrand a voulu la Grande Bibliothèque, l'opéra Bastille et le Grand Louvre, Jacques Chirac, le musée du quai Branly. Pourtant, cet intérêt pour les opérations de prestige n'a guère contribué à améliorer la vitalité ou le cadre de vie en milieu urbain. Un exemple l'illustre : la destruction des Halles de Paris et des gracieux pavillons de fer, conçus au XIXᵉ siècle par Baltard, auxquels a été substitué — sous le mandat du maire Jacques Chirac — un monstrueux terrier abritant un centre commercial qui a servi de point de fixation aux revendeurs de drogue. Pour se débarrasser de cette verrue décriée par tous, la Ville a organisé un concours en 2004. Quatre projets — deux signés par des architectes hollandais, Rem Koolhaas et Winy Maas, deux par des Français, Jean Nouvel et David Mangin — ont été retenus pour la phase finale. Les Parisiens ont alors été invités à exprimer leur préférence lors d'un vote consultatif. À la fin de ce processus, la Ville a sélectionné le moins imaginatif et le plus décevant des quatre projets, celui de David Mangin. À l'approche de l'échéance des élections municipales de mars 2008 et alors que le maire, Bertrand Delanoë, avait déjà déclenché une polémique en envisageant la construction de tours à la périphérie de la capitale, le jury a justifié son manque d'audace en déclarant que le projet Mangin servirait seulement de plan-masse pour le réaménagement. Un nouveau concours a alors été organisé pour le centre commercial lui-même. Une autre équipe française, celle de Patrick Berger et Jacques Anziutti, l'a emporté, en proposant un dôme translucide jaunâtre qui n'a guère provoqué d'enthousiasme chez les observateurs. Dans sa politique de grands travaux, la France tend à suivre deux règles : privilégier ses propres architectes et, de plus en plus, s'en tenir à des projets sans éclat. Pour mener à bien leurs projets les plus audacieux, les architectes français sont donc condamnés à l'exil : Jean Nouvel n'aurait certainement pas pu construire la tour Agbar à Paris. Une autre forme de déclin...

Personne ne reprocherait à Jean Nouvel ou à Christian de Portzamparc de manquer d'éclat, mais tous deux sont représentatifs d'un phénomène — l'apparition d'un groupe d'architectes vedettes, parmi lesquels on compte aussi Frank Gehry, Richard Rogers, Norman Foster, Renzo Piano, Tadao Ando ou Zaha Hadid — dont les conséquences ne seront pas nécessairement bénéfiques, à terme, pour l'architecture ou pour la France. Grâce à leur cellule de relations publiques et à la forte identité de leur style, ils tendent à dominer les concours internationaux. Au grand dépit d'architectes tout aussi talentueux mais moins flamboyants et de nombreux critiques qui jugent les constructions sorties des planches à dessin de ces grands noms souvent séduisantes mais peu fonctionnelles. « Les œuvres des "starchitectes" ne sont pas nécessairement mal conçues ni bâclées dans les détails, écrit ainsi Michael J. Lewis, professeur au Williams College, mais fonctionnalité et détails sont souvent délégués à des cabinets associés, en particulier lorsqu'il s'agit de projets étrangers, lesquels constituent une proportion significative de l'activité des célébrités actuelles. C'est, d'ailleurs, ce système de partenariat qui explique comment ils parviennent à gérer autant de projets, simultanément, dans le monde, chacun portant la "touche" de son créateur. C'est aussi dans ce système qu'il faut voir la cause des retards et des imprévus, fléaux qui frappent les cabinets les plus actifs, avec des conséquences épouvantables[1]. »

On se souvient que le bâtiment du site François-Mitterrand de la BNF, construit par Dominique Perrault, a souffert d'une série de problèmes techniques, avant comme après son ouverture, en 1998. Le sort s'était déjà acharné sur l'Opéra-Bastille de Carlos Ott, dont la façade est aujourd'hui en cours de rénovation, à peine vingt ans après l'inauguration du lieu. Ajoutons à la liste l'effondrement de la voûte du terminal 2E de l'aéroport Roissy-Charles-

---

1. Michael J. Lewis, « The rise of the "starchitect" », *The New Criterion*, décembre 2007.

de-Gaulle construite par Paul Andreu. Le rapport de la commission d'enquête chargée d'identifier les causes techniques de l'accident a souligné les insuffisances des procédures en vigueur en France pour encadrer l'exécution des travaux publics complexes. Sans mettre en cause Paul Andreu, alors directeur de l'architecture d'Aéroports de Paris, le rapport a incriminé une procédure qui contourne toute mise en concurrence lors du choix des projets afin d'assurer une vitrine à un architecte français.

La France est peut-être fière de ses architectes et plus encore de ses « starchitectes », mais elle n'est décidément pas prête à leur donner leur chance.

11

Une phrase dans mon article a suscité plus de réactions que les autres : « Bien que le secteur de la musique ait vendu pour 1,7 milliard de dollars de CD et de morceaux en téléchargement l'année dernière, peu d'artistes sont connus au-delà des frontières françaises. Allez-y : citez le nom d'une vedette de la musique autre que Johnny Hallyday. » Les lecteurs, par bataillons entiers, m'ont opposé les exemples de grandes figures du milieu musical — à commencer par le compositeur et chef d'orchestre Pierre Boulez, le contre-ténor Philippe Jaroussky et la pianiste Hélène Grimaud pour la musique classique, ou Manu Chao dans un autre genre. La carrière de ces artistes ne me semble pourtant pas contredire mon propos. Certes la France possède plusieurs musiciens célèbres mais, au firmament de la musique, son déclin se poursuit depuis plusieurs décennies.

Au XIXe et au XXe siècle, la France a eu une présence musicale de tout premier plan. Des compositeurs comme Hector Berlioz, Jacques Offenbach, Camille Saint-Saëns, Georges Bizet, Claude Debussy, Erik Satie, Maurice Ravel et Olivier Messiaen jouissaient d'une notoriété planétaire. Aujourd'hui, Pascal Dusapin, Pierre Boulez et Henri Dutilleux sont certes des références, mais ces deux derniers, à respectivement 83 et 92 ans, ont quelque peu ralenti leurs activités. Charles Trenet, Édith Piaf ou Georges Brassens ont fait connaître la chanson française autour du monde.

Alors est né le rock. La France a été submergée par un raz-de-marée venu des États-Unis et du Royaume-Uni. Johnny Hallyday s'est efforcé de maintenir une tête de pont sur la scène internationale — une mission qu'il poursuit aujourd'hui —, tandis que dans les années 80 le vénérable ministère de la Culture était surnommé ministère du rock pour sa prétention à vouloir combattre l'invasion anglo-saxonne. Bien en vain : depuis la fin des années 50, le rock a maintenu son hégémonie sous un duopole américano-britannique. La France n'a jamais trouvé la riposte aux Beatles et aux Rolling Stones ni, plus tard, à Madonna et à Radiohead, c'est-à-dire à cette poignée de groupes ou d'artistes qui dominent les classements des ventes à peu près partout. « La France a apporté une contribution considérable à la culture occidentale, écrit la critique rock Claire Allfree, mais s'il y a une chose qu'elle n'a jamais pigée, c'est bien le rock'n'roll[1]. »

La réflexion vaut pour la musique populaire dans toutes ses déclinaisons. En 2007, d'après l'Ifop, sur les quinze meilleures ventes d'albums en France, figuraient les œuvres de quatre artistes anglo-saxons — Mika, Amy Winehouse, James Blunt et Norah Jones — ainsi que celle d'un groupe allemand, Tokio Hotel. Pendant la dernière semaine du mois de juin 2008, près d'un tiers des vingt albums classés en tête des ventes venaient de l'étranger ; un peu moins de la moitié des vingt *singles* étaient signés par des artistes anglo-saxons. Pas un seul nom français n'apparaît sur les listes équivalentes au Royaume-Uni, aux États-Unis ou ailleurs dans le monde. Un seul album d'un artiste français a d'ailleurs reçu la certification de l'association professionnelle IFPI pour des ventes dépassant le mil-

1. Claire Allfree, « Vive le rock'n'roll », *The Independent*, 14 janvier 2005.

lion d'exemplaires dans le monde en 2006, il s'agit de *Ma vérité*, de Johnny Hallyday.

En fait, la France s'est imposée dans un seul genre de musique populaire, la techno, mélange de samplings et de funk, parfois assaisonnée d'une pincée de hip-hop (chanté, le plus souvent, en anglais). La version nationale, estampillée « french touch », est portée par des groupes tels que Daft Punk, Air, Justice ou les DJ Laurent Garnier et David Guetta, dont on entend les enregistrements dans tous les clubs et les bars à la mode de la planète. L'album de Daft Punk, *Alive 2007*, a été classé numéro un des meilleurs albums électroniques de l'année par le magazine américain *Billboard* avec, toutefois, des ventes insuffisantes pour entrer dans le classement des cent meilleurs albums, tous genres confondus.

Par son succès même, dans l'Hexagone comme hors des frontières, cette *french touch* met en lumière les limites de la politique volontariste menée par les pouvoirs publics en vue de promouvoir une industrie musicale nationale. Selon les termes de la loi Toubon, du nom du ministre de la Culture qui l'a fait voter en 1994, les radios doivent consacrer 40 % de leur temps d'antenne à la diffusion de la musique française en donnant toute leur place aux nouveautés. Si ces dispositions ont indiscutablement aidé un certain nombre de groupes a se faire connaître, elles n'ont eu aucune influence sur le succès de Daft Punk, Air ou d'autres formations du genre. En effet, les quelques paroles chantées dans les compositions de ces groupes sont en anglais et, de ce fait, échappent aux critères retenus par la loi. Malgré sa calvitie, Jacques Toubon doit se faire des cheveux blancs, car le phénomène n'a pas pu lui échapper : de plus en plus, la pop française se pratique en anglais. Chaque année, le magazine *Les Inrockuptibles* demande à ses lecteurs d'envoyer un enregistrement de leur composition — une *demo* — pour son CD de Noël. Selon Jean-Daniel Beauvallet, directeur adjoint de la rédaction, sur une moyenne de 7 000 envois, 6 000 sont en anglais[1]. Pourquoi ? Parce que l'anglais est la langue du rock'n'roll mais aussi parce que les aspirants musiciens français rêvent de conquérir une audience internationale.

La politique des quotas musicaux aura été une aubaine pour un seul genre, le hip-hop. À leurs débuts, les figures françaises du genre — Suprême NTM, IAM ou Grand Corps malade — ont bénéficié du soutien des radios qui doivent, par tous les moyens, respecter les quotas définis par la loi Toubon (plusieurs groupes canadiens francophones ont aussi profité de ces règles). Skyrock, par exemple, a constaté que la diffusion de hip-hop boostait son audience et a choisi de devenir une spécialiste du genre.

1. Claire Allfree, art. cit.

La France a mieux tenu son rang dans la musique classique, quoique le sort lui ait été plus favorable dans le domaine de l'interprétation que dans celui de la composition. Jean-Yves Thibaudet doit sa notoriété internationale à ses interprétations d'Erik Satie autant qu'à ses costumes griffés Vivienne Westwood. Chefs d'orchestre et metteurs en scène d'opéra, très demandés, mènent des carrières internationales, ce qui n'est pas le cas des compositeurs, à quelques exceptions près telles que le sérialiste Jacques-Louis Monod, installé aux Etats-Unis, le spécialiste de musique électronique Jean-Michel Jarre ou Éric Serra qui a composé de nombreuses musiques de film. En outre, la musique classique a aujourd'hui, même en France, un public très restreint. Il est d'ailleurs symptomatique que Paris ne dispose toujours pas d'une salle de concert philharmonique digne de ce nom, il faudra attendre au mieux l'automne 2012 pour que soit ouverte la salle actuellement en construction à la Villette (dessinée par Jean Nouvel) et que les grandes formations de passage à Paris soient accueillies décemment.

12

Pourquoi la France a-t-elle perdu sa prééminence culturelle dans le monde ? Ce recul a des causes complexes, sujettes à débat et moins faciles à établir que le simple constat de son déclin. Mais, de même que les Français s'interrogent, depuis quelque temps, sur le modèle économique auquel ils se conforment, ses résultats et sa viabilité à terme, n'est-il pas légitime qu'ils soumettent à un semblable examen leur modèle culturel et son destin ? Le souci du déclin travaille la France et nourrit sa production éditoriale depuis le *J'accuse* de Zola, en passant par *L'Étrange Défaite* de Marc Bloch jusqu'à... ce livre-ci, peut-être. Les années récentes ont vu paraître *Le Grand Gaspillage* et *La Guerre des deux France* (Plon, 2002 et 2004) par l'historien Jacques Marseille, *Le Choc de 2006* et *Le Courage du bon sens* (Odile Jacob, 2002 et 2006), tous deux consacrés au fardeau que constitue le système de protection sociale en France, de Michel Godet, professeur d'économie industrielle, ainsi que *Les Classes moyennes à la dérive* (Seuil, 2006) du sociologue Louis Chauvel.

Les analyses des uns et des autres se concentrent sur les dysfonctionnements économiques, que Nicolas Sarkozy s'est engagé à éliminer avec ses réformes. Le déclin culturel, animal plus furtif, échappe aux définitions. Le malaise qu'éprouve le pays, et qui tient de la crise d'identité, dure depuis... Difficile d'identifier la date fondatrice. Est-ce 1940, avec l'humiliation de la défaite et de l'occupation allemande ? 1954 et l'insurrection algérienne qui a polarisé les opinions ? 1956 et la débâcle de Suez ? Ou encore 1968, cette année d'ébullition révolutionnaire qui, dans l'opinion des conservateurs comme Nicolas Sarkozy, a placé la France sous l'influence d'une nouvelle génération plus laxiste. C'est à cet épisode, déjà, que s'en prenait l'hebdomadaire *Marianne*, en 1998, y voyant la source de « quelques-uns des pires maux qui taraudent la société actuelle ». En 2007, durant la campagne présidentielle, Sarkozy imputait aux soixante-huitards la responsabilité — entre autres — de l'indiscipline à l'école, du laxisme à l'égard de la criminalité, des incivilités, de la cupidité, des excès de l'individualisme et du rejet de l'identité nationale. Mai 68, expliqua-t-il a « imposé le relativisme moral [...], introduit le cynisme dans la société et dans la politique [...], abaissé le niveau moral de la politique ». Il reprit même à son compte quelques-unes des critiques habituellement adressées à la droite : « Voyez comment le culte de l'argent-roi, du profit à court terme, de la spéculation, comment les dérives du capitalisme financier ont été portées par les valeurs de Mai 68. »

Dans le prolongement de ce réquisitoire, Nicolas Sarkozy a qualifié son projet de réformes de « politique de civilisation », notion empruntée au sociologue Edgar Morin, lequel a avoué s'interroger sur le sens que le président prêtait à son concept. Philippe Manière, directeur de l'institut Montaigne, fournit sa propre interprétation : « Le terme de civilisation a plus de sens pour la droite, du fait, peut-être, de ses connotations avec la notion de mission civilisatrice qui remonte à l'époque coloniale. Il réjouit les gens de droite et d'extrême droite tout en échappant aux critiques de la gauche. Personne ne peut revendiquer son opposition à la civilisation[1]. » La remarque est d'autant plus pertinente qu'il faut, en France, adhérer à trois postulats pour être pris au sérieux : la civilisation française se définit par sa grandeur, elle est la marque de l'identité nationale et elle est aujourd'hui en crise. Theodore Zeldin, professeur d'histoire à Oxford et spécialiste de la France, n'a-t-il pas noté qu'il était plus facile de trouver, à Paris, une conférence sur l'identité nationale qu'un club de strip-tease ? « J'entends dire partout que la France est en crise, qu'elle est même affectée par des crises multiples. Mais il ne faudrait pas oublier que cela a toujours été le cas[2]. »

L'un des aspects les plus sensibles de cette crise d'identité permanente est lié au déclin du français. Si les Français veulent bien concéder le recul de leur langue dans les domaines du commerce et de la diplomatie, ils entretiennent encore des illusions quant

1. Ben Hall, « Sarkozy steals thunder of rivals on left and right », *Financial Times,* 12 janvier 2008.
2. Theodore Zeldin, « Les Miserables on the Mend », *Time*, 15 juin 1998.

à son importance comme véhicule de leur culture. Lors d'un sommet européen, en 2006, à peine Ernest-Antoine Seillière, président du patronat européen, avait-il annoncé son intention d'intervenir en anglais que Jacques Chirac quitta la réunion. Il justifia son attitude dans les termes suivants : « C'est l'intérêt national, c'est l'intérêt de la culture, du dialogue des cultures [...]. On ne va pas fonder le monde de demain sur une seule langue, donc une seule culture. »

Nous touchons là l'une des causes principales du déclin : si le lustre de la culture française se ternit, c'est qu'elle est produite dans une langue fanée. La population anglophone dans le monde est au moins deux fois plus nombreuse que la communauté francophone, juste devant les hispanophones. En outre, anglophones et hispanophones ont un rythme de croissance plus rapide que les francophones. D'après le British Council, 85 % des organisations internationales ont choisi l'anglais comme langue de travail alors que 49 % seulement utilisent le français.

Le français reste la première langue étrangère étudiée dans le secondaire au Royaume-Uni, mais le nombre d'élèves qui le choisissent est en régression (la baisse a été de 8 % en 2006-2007, année d'une réforme scolaire qui a rendu les langues étrangères optionnelles pour l'équivalent britannique du brevet des collèges). Aux États-Unis, où il a longtemps été la langue étrangère la plus communément étudiée, le français ne représentait en 2006 plus que 13 % des inscriptions en cours de langue au niveau universitaire, contre plus de 50 % pour l'espagnol. Certains observateurs français jugent la comparaison peu parlante dans la mesure où, aux États-Unis, l'espagnol est considéré comme une langue nationale au même titre que l'anglais. L'argument n'est pas recevable : les hispanophones n'étudient pas leur langue dans le cadre scolaire, ils la maîtrisent déjà. C'est l'anglais qu'ils veulent apprendre.

Le français conserve une emprise fragile dans l'ancien empire colonial, en Afrique, aux Antilles et en Asie. Mais là comme ailleurs, il est submergé par la vague déferlante de l'anglais. On le constate, en particulier, dans les pays émergents d'Asie. Au Vietnam, par exemple, moins de 100 000 élèves et étudiants apprennent le français, soit dix fois moins qu'en 1980. En Chine, seulement 33 des 15 000 écoles secondaires et 175 des 600 plus grandes universités proposent un enseignement du français. Les efforts des pouvoirs publics pour promouvoir le français dans le monde, que ce soit à travers les moyens accordés à la Francophonie ou aux Alliances françaises, n'ont pas réussi à renverser la tendance.

Mais, en pratique, quelles sont les conséquences de ce recul de la langue pour la culture française ? À l'évidence, il aboutit à une réduction de l'audience « captive » pour les livres, les films et la musique d'expression française. Les traductions coûtent cher : il faut compter, en moyenne, 2 500 euros pour un livre de cent cinquante pages[1]. Les frais sont comparables pour le sous-titrage d'un film (et beaucoup plus élevés pour un doublage). De plus, certains publics — les Américains, en particulier — boudent les films sous-titrés. Plus décisif, encore, les principaux organes de la critique culturelle et de la publicité — les émetteurs de *buzz* à l'échelle mondiale — communiquent en anglais et sont d'ailleurs localisés aux États-Unis et au Royaume-Uni, ce qui ne facilite pas l'accession à la notoriété internationale pour les artistes français. « Dans les années 40 et 50, tout le monde savait que la France était au centre de la scène artistique. C'est là qu'il fallait être pour se faire remarquer, me rappelait le sociologue Alain Quemin. Aujourd'hui, il faut s'installer à New York. »

Le déclin culturel français a une autre cause : le système scolaire. Naguère réputé pour sa rigueur, il est aujourd'hui sous le feu des critiques. On lui reproche d'accorder la priorité à l'épanouissement individuel aux dépens de l'acquisition des connaissances. Un livre écrit par une jeune professeur, Fanny Capel, reflète cette sensibilité. Dans *Qui a eu cette idée folle un jour de casser l'école ?* (Ramsay,

1. Esther Allen (dir.), *op. cit.*

2004), elle montre comment le corps enseignant parvient à amener 80 % d'une classe d'âge au baccalauréat en révisant à la baisse ses exigences. On peut toujours discuter des méthodes éducatives les plus propres à produire des artistes, des écrivains ou des musiciens mais, si l'opinion des parents doit être prise en compte, il est probable que la rigueur aura le pas sur l'épanouissement personnel. En outre, tout laisse penser que la rigidité même du système scolaire a nourri la vitalité culturelle de la France. « De nombreux artistes français se sont affirmés par opposition à l'éducation qu'ils recevaient, explique ainsi Christophe Boïcos. Les romantiques, les impressionnistes, les modernistes se sont rebellés contre les normes académiques de leur époque. Mais ces normes étaient très exigeantes, ce qui contribua à la qualité remarquable des œuvres produites contre elles. »

Après 1968, une série de réformes a réduit à la portion congrue les disciplines artistiques. Le baccalauréat littéraire, qui a longtemps attiré le gros des effectifs, est désormais délaissé au profit des filières scientifique et économique. En 1968, environ la moitié des lycéens se présentaient au bac littéraire, en 2007, ils ne représentaient plus que 18,6 % des candidats. « À l'école, on apprend à lire, pas à regarder », déplore Pierre Rosenberg, ancien président-directeur du Louvre. On n'apprend pas non plus à penser de manière créative, pourrait-il ajouter. Aux États-Unis, pendant la campagne des primaires pour l'élection présidentielle de novembre 2008, la plupart des candidats se sont engagés à accroître le nombre d'heures dévolues aux cours d'arts plastiques et de musique à l'école. Comme l'a expliqué le républicain Mike Huckabee, cette volonté de développer le « cerveau droit » ne vise pas seulement à l'épanouissement des élèves mais aussi à favoriser la créativité des nouvelles générations, un atout indispensable pour les États-Unis dans l'économie mondialisée. En France, Xavier Darcos, ministre de l'Éducation nationale, semble lui aussi vouloir favoriser la créativité plutôt que l'autre hémisphère cérébral, celui des capacités analytiques : « Nous avons besoin de littéraires, d'élèves qui maîtrisent le discours et le raisonnement. Les élèves qui ont des aptitudes littéraires ne doivent pas avoir d'hésitations[1]. »

Cette exigence ne sera pas satisfaite sans une profonde réforme de l'Université, aujourd'hui surpeuplée, sous-financée, désorganisée pour ne pas dire en ruine. Chaque année, le *Times Higher Education Supplement* dresse un classement des 200 meilleures universités du monde. Dans la dernière édition de ce classement, publiée en novembre 2007, on ne comptait que cinq établissements français et,

1. Marie-Estelle Pech, « Darcos appelle les lycéens à s'inscrire en section littéraire », *Le Figaro*, 7 septembre 2007.

plus significatif, dans le sous-classement des 50 meilleures universités spécialisées dans les « arts and humanities », soit peu ou prou les disciplines artistiques et les sciences humaines, seules sont citées l'université Paris-IV (en vingt-neuvième position) et l'École normale supérieure (en trente-troisième position) contre 36 universités anglo-saxonnes.

Comme l'ont souligné les rapports officiels et les spécialistes de l'éducation depuis des années, la France consent des moyens importants aux grandes écoles qui accueillent un nombre limité d'étudiants mais maintient ses universités dans un état de pénurie. Dans ce domaine comme dans d'autres, la France semble favoriser la reproduction de ses élites. Ramené au nombre d'étudiants, le budget de l'enseignement supérieur est moindre que celui consacré au secondaire. Jean-Robert Pitte, ancien président de l'université Paris-IV-Sorbonne, a noté avec ironie que chaque étudiant, en France, dispose dans les locaux universitaires d'une superficie de 2,6 mètres carrés, alors qu'un poulet de Bresse dans son poulailler doit en avoir trois fois plus pour bénéficier du label AOC.

En France, l'éducation et la culture sont des mondes étrangers l'un à l'autre, placés sous l'égide de ministères différents. Ailleurs, on attend des institutions d'enseignement qu'elles jouent un rôle de pépinière pour l'excellence culturelle. Quelques-uns des plus grands romanciers britanniques, tels Ian McEwan, Kazuo Ishiguro ou Anne Enright sont passés par l'université d'East Anglia et sa filière de « creative writing » ; plusieurs de leurs confrères américains — Wallace Stegner, James Tate, Michael Cunningham — ont suivi un parcours semblable à l'université de l'Iowa. Le département d'arts plastiques de l'université de Yale a formé des peintres et des sculpteurs de renom comme Brice Marden, Richard Serra ou Chuck Close. À Berlin, l'Universität der Künste, de création relativement récente, est déjà considérée comme l'une des principales institutions artistiques et musicales dans le monde.

Et, outre la formation des artistes, les universités jouent également un rôle dans l'animation culturelle d'une région ou d'un pays. Les 4 182 universités des États-Unis abritent un peu moins de 700 musées, 110 maisons d'édition, environ 300 stations de radio, à peu près 345 salles de concert rock et pop et 2 300 *performing arts centers*. L'American Repertory Theatre, la compagnie théâtrale de Harvard, dispose d'un budget plus important (au financement en majorité privé) que les théâtres nationaux de nombreux pays. De la même manière, le Krannert Center for The Performing Arts de l'université de l'Illinois, malgré la quasi-absence de subventions, présente cent cinquante spectacles par an et emploie presque quatre-vingt-dix personnes à plein temps. En négligeant ses universités, la France se prive d'une chance formidable de restaurer son statut culturel.

S'il est quelque peu cavalier de généraliser lorsqu'on évoque 64 millions de personnes, force est de constater, avec Luc Besson, que par une sorte de tropisme national le succès commercial suscite souvent la défiance. Des enquêtes d'opinion le montrent : les jeunes sont plus attirés par les emplois de fonctionnaires que par des carrières dans le « privé ». Au début de l'année 2008, un article de la revue *Foreign Policy* — au titre, hélas, pertinent : « La philosophie de l'échec en Europe » — montrait comment les manuels scolaires en France (et en Allemagne) tendent à présenter le capitalisme et l'esprit d'entreprise sous un jour défavorable. Conscient du problème, Xavier Darcos a lancé, au début de l'année 2008, un audit sur les manuels et les programmes d'économie utilisés dans les lycées. À ce sujet, le sociologue Alain Quemin commente : « Pour les Américains, le succès d'un artiste sanctionne la qualité de son travail. À nos yeux, sa réussite signifie qu'il est trop commercial. Le succès est assimilé au mauvais goût. » Si la France doit retrouver sa position culturelle dans le monde, ses jeunes artistes ne doivent pas avoir peur du succès.

13

Le principal obstacle au réveil de la France pourrait bien être l'État lui-même. Les institutions publiques jouent, de loin, le premier rôle dans le domaine culturel et leur situation de quasi-monopole n'a pas que des effets bénéfiques. En France, les subventions sont plus élevées, et beaucoup plus variées, que dans la plupart des autres pays industrialisés. Pendant des années, les gouvernements successifs se sont fixés pour objectif de réserver 1 % du budget de l'État à la culture. Selon les chiffres de l'OCDE, la France consacre 1,5 % de son PIB à l'ensemble des activités culturelles et de loisirs contre seulement 0,7 % en Allemagne, 0,5 % au Royaume-Uni et 0,3 % aux États-Unis.

Une enquête certes ancienne concluait que la dépense publique par habitant dans le domaine de la culture était vingt-neuf fois plus élevée en France qu'aux États-Unis[1] et l'écart s'est sans doute creusé depuis, en raison de la réduction des subventions allouées par le National Endowment for the Arts. Moins de 500 personnes travaillent pour cet organisme officiel américain, quand, en France, le ministère de la Culture en salarie plus de 1 200 qui choisissent les artistes, les programmes et les insti-

---

1. John Rockwell, « French culture under socialism », *New York Times,* 24 mars 1993.

tutions auxquels seront entre autres attribuées des subventions. En outre, le ministère des Affaires étrangères dispose de son propre programme culturel qui finance de nombreux déplacements d'artistes et d'œuvres tout en subventionnant 148 groupes culturels, 26 centres de recherches et 176 chantiers de fouilles archéologiques à l'étranger. Avis aux étudiants américains : si vous organisez un festival de cinéma français dans votre université, le ministère des Affaires étrangères est prêt à vous allouer une aide de 1 800 dollars.

La France encadre le marché national de la culture aux dépens des intervenants étrangers ou de l'influence qu'ils pourraient avoir. Un ensemble de mesures y contribuent. En voici quelques-unes :

— Les cinéastes peuvent demander une avance sur recettes au CNC, c'est-à-dire un prêt sans intérêt qui devra être remboursé sur les recettes futures. Le remboursement est rarement intégral ;

— Canal +, la principale chaîne de télévision payante, est obligée de consacrer 20 % de ses revenus à l'achat de films français. Les chaînes hertziennes sont soumises à la même obligation à hauteur de 3,2 % de leurs revenus ;

— Un délai de six mois est prévu entre la sortie des films en salle et leur commercialisation en DVD, mesure qui vise à aider les distributeurs ;

— Une taxe de 11 % sur les tickets d'entrée dans

les salles obscures alimente un fonds d'aide au cinéma ;

— La loi sur le prix unique du livre protège les éditeurs, en interdisant des remises supérieures à 5 % du prix affiché ;

— La loi impose un quota de 40 % de production française pour les productions télévisuelles et la programmation musicale sur les radios. Un système de quotas complémentaires prévaut pendant les heures de grande écoute afin d'assurer que la production française ne se trouve pas reléguée à des horaires tardifs ;

— Les intermittents du spectacle bénéficient d'un système d'assurance chômage particulièrement avantageux ;

— Peintres et sculpteurs peuvent obtenir certains avantages, notamment des ateliers spécialement aménagés à Paris.

Bien entendu, la France n'est pas le seul pays qui protège sa culture et ses artistes. Le Canada et le Royaume-Uni ont aussi adopté des mesures contraignantes pour la diffusion de productions nationales sur certaines chaînes de télévision. En Corée du Sud, les salles de cinéma doivent présenter des films coréens 73 jours par an. De plus, en octobre 2005, lors de la conférence générale de l'Unesco, 151 États ont adopté la Convention sur la protection et la promotion de la diversité des expressions culturelles qui donne aux gouvernements la possibilité de restreindre l'entrée sur leur territoire de biens culturels étrangers au nom de la défense de la diversité culturelle.

Mais revenons au cas de la France : quel effet a cet arsenal de subventions, de quotas et de restrictions sur la culture ? Il a aidé des petits éditeurs, des labels de musique et des producteurs de films à résister aux pressions de la concurrence internationale. Dans le cas de la Corée du Sud, les quotas d'écrans ont servi la cause de l'industrie nationale du cinéma, devenue aujourd'hui une des plus dynamiques. Par comparaison, le Mexique, qui a renoncé à sa politique de quotas en signant l'Accord de libre-échange nord-américain (Alena) en 1994, est passé d'une production annuelle de quelque cent films à moins de dix aujourd'hui.

Mais on ne saurait conclure de ces exemples qu'une constante prévenance favorise l'éclosion d'une culture ambitieuse. Le gros de la production cinématographique mexicaine, avant 1994, consistait en films à petit budget aux mérites esthétiques discutables. La Corée du Sud a réduit ses quotas de projection ces dernières années, avec la volonté d'ouvrir le secteur du cinéma aux vents de la concurrence pour un résultat, à ce jour, plutôt satisfaisant : de nombreuses productions sud-coréennes sont distribuées dans les pays occidentaux et figurent au palmarès des grands festivals. Effet pervers du système français, l'indemnisation des intermittents du spectacle a encouragé les sociétés de production télévisuelles et d'autres institutions culturelles, y compris les plus grands établissements publics, à recourir au travail à temps partiel, afin d'éviter de payer certaines charges sociales. De plus, ces intermittents sont, pour une part, des techniciens et non des artistes. La politique protectionniste de la France pourrait bien avoir nui à l'aura internationale de sa culture : les quotas et la barrière de la langue permettent à ses producteurs de survivre sans avoir à se soucier des débouchés internationaux. L'un des effets néfastes de la ligne Maginot fut de faire croire aux Français qu'ils étaient à l'abri d'une invasion allemande, on sait ce qu'il advint...

Enfin, il faut évoquer le problème du clientélisme et la distribution de faveurs suivant des logiques de réseaux plutôt que sur des critères de mérite. Ce qu'a d'abord produit la politique culturelle de la France, c'est une vaste armée de fonctionnaires et de responsables du même acabit dans toutes les grandes institutions. Et cette élite fermée détient un privilège : elle décide quelles œuvres relèvent de la culture, quoi que puissent en penser ceux qui les font ou en profitent. « Une des faiblesses de notre "exception culturelle", c'est qu'elle protège aussi bien ce que nous produisons de médiocre que le meilleur », affirme Marc Fumaroli, académicien et professeur honoraire au Collège de France qui a dénoncé ces pratiques dans son livre *L'État culturel*. « Je pense, en particulier, au cinéma, où un excellent système, l'avance sur recettes, a trop souvent servi des médiocrités [...]. Je crains que des clans ne s'en soient emparés et aient complaisamment distribué la manne à leurs amis[1]. »

Un argument est souvent avancé en défense des quotas et des subventions : ils permettraient d'entretenir des activités et des services que les forces du marché voueraient à la disparition. La littérature économique foisonne pourtant de mises en garde contre les politiques de subventions et les distorsions qu'elles introduisent en matière d'allocations de ressources, de processus de décision et de transparence économique. Il suffit d'observer la politique agricole de l'Union européenne et ses effets pervers pour vérifier cette thèse. Dans le domaine des services — les activités culturelles, par exemple — les économistes reprochent aux subventions de favoriser la médiocrité et d'étouffer la créativité. Faut-il en conclure que si la culture française se défend aussi mal c'est parce que les subventions ont encouragé la médiocrité et la suffisance parmi les artistes français ? Un maestro britannique, sir Thomas Beecham, commentait ainsi la primauté accordée

1. Sébastien Le Fol, « Marc Fumaroli, Frédéric Martel : "Vers la séparation de la culture et de l'État ?" », *Le Figaro Magazine*, 10 février 2007.

aux nationaux, une autre forme de protectionnisme :
« Pourquoi faire venir tous ces chefs d'orchestre
étrangers de troisième zone alors que nous en avons
tellement de deuxième ordre chez nous ? »

Il est difficile de mesurer l'effet des subventions
sur la culture. Mais il peut être instructif d'observer
la vie culturelle d'un pays où elles sont à peu près
inexistantes, les États-Unis. Dans son livre abon-
damment commenté, *De la culture en Amérique*
(Gallimard, 2006), Frédéric Martel a décrit la scène
culturelle américaine, lui reconnaissant une vigueur,
une qualité et une profondeur étonnantes. Ancien
attaché culturel de l'ambassade de France à Boston,
il a rencontré, cinq années durant, plus de 700 personnalités du monde culturel américain et a enquêté
dans des musées, des théâtres et des opéras à travers
le pays. Eh bien non, son périple n'a pas été la tra-
versée d'un désert ponctué d'iPods et de femmes au
foyer désespérées mais la découverte d'une contrée
comptant à peu près le même nombre d'artistes et
de salles de spectacles par habitant que la France,
tout en disposant de davantage de bibliothèques, de
salles de cinéma et de compagnies de danse. Bon an
mal an, les Américains, explique Frédéric Martel,
lisent, visitent des musées, vont au cinéma ou as-
sistent à des concerts à une fréquence comparable à
celle des Français. (Certes d'autres observateurs ont
noté qu'un nombre équivalent d'Américains fréquentait les théâtres lyriques et les stades de la Na-

tional Football League...) Et tout cela sans aides financières significatives des pouvoirs publics et sans bureaucratie culturelle. Aux États-Unis, « si le ministère de la Culture est nulle part, écrit Frédéric Martel, la vie culturelle est partout ».

La différence, explique-t-il, consiste en ceci que les institutions culturelles américaines fonctionnent pour une large part grâce aux donations individuelles, à celles des entreprises, au soutien de fondations privées, aux déductions d'impôts et à des techniques innovantes d'appels aux fonds privés. Certes, le taux de croissance économique relativement vigoureux outre-Atlantique au cours de la période récente, si on le compare à celui de la France, a favorisé ce système. C'est d'ailleurs en raison de ce même phénomène que Paris a perdu sa place de capitale de l'art. New York et Londres, premières places financières mondiales, abritent des légions de mécènes et de collectionneurs d'art richissimes, sans parler de Hong Kong et de Pékin, nouveaux paradis des spéculateurs. Les collectivités publiques, au niveau local ou à celui des États, soutiennent aussi les arts aux États-Unis, directement ou indirectement, mais les décisions sont, le plus souvent, prises par les institutions elles-mêmes et ceux qui les financent. « Il n'y a pas de pilote dans l'avion, écrit Frédéric Martel. Il n'y a pas d'autorité ni d'acteur central. Pas de régulation. Il y a mieux : des milliers d'acteurs indépendants et reliés les uns aux autres. » Et pour quel résultat ? La culture y est aussi dynamique qu'en France, même dans ses formes les plus exigeantes, l'opéra ou la musique classique, par exemple, mais aussi plus diverse et plus conforme aux intérêts de son public. « Tel est le miracle de l'humanisme civique culturel », conclut-il. La France pourrait prendre exemple sur ce miracle.

14

Peut-on sauver la culture française ? Certainement, mais la cure sera douloureuse. Il pourrait être judicieux de commencer par le système scolaire. Le gouvernement de Nicolas Sarkozy veut renforcer l'enseignement de l'histoire de l'art dans le secondaire, c'est un signe encourageant. Mais pourquoi s'arrêter en si bon chemin ? Plus de musique, de littérature, de pratique artistique serait tout aussi souhaitable. Les lycéens devraient être incités à s'orienter vers le baccalauréat littéraire. En ce sens, peut-être faudrait-il faire valoir les atouts professionnels que procure la maîtrise de la communication et du raisonnement. Plus d'anglais à l'école serait utile. Qu'on s'en réjouisse ou non, c'est aujourd'hui la langue des échanges culturels internationaux. À défaut de la maîtriser, artistes, écrivains et musiciens français sont condamnés à évoluer dans l'univers confiné d'un village gaulois aux dimensions restreintes. Jugeons-en par l'exemple : les personnalités qui jouissent d'une notoriété internationale, de Pierre Boulez à Pierre Huyghe, recourent à l'anglais quotidiennement ou presque.

Plusieurs commentateurs ont proposé une fusion du ministère de l'Éducation nationale et de celui de la Culture. S'il est peu probable que l'initiative, à elle seule, aplanisse beaucoup d'obstacles, elle aurait toutefois pour effet louable de signaler aux jeunes générations que l'acquisition et l'appréciation de la culture sont partie intégrante de l'éducation. Poussons plus loin : pourquoi ne pas proposer à quelques-uns de ces artistes subventionnés et sous-employés, à ces intermittents du spectacle en mal de gagne-pain, des emplois d'enseignants à temps partiel, de conseillers ou d'artistes en résidence ? Selon certaines estimations, 18 % des RMIstes parisiens seraient des artistes ! Une telle initiative aurait le mérite de mettre les élèves en contact non seulement avec la culture mais aussi avec ceux qui la font. Et qui sait si cette saine émulation ne parviendrait pas à rendre au système éducatif le rôle d'incubateur de talents qu'il a eu autrefois ?

L'université pourrait suivre cet exemple. Un financement accru serait le bienvenu, comme le serait un plus grand contrôle de chaque campus sur son budget, ses filières de formation et ses critères d'inscription. Le déséquilibre entre les grandes écoles et l'Université est aujourd'hui admis par tous et cette prise de conscience devrait faciliter les réformes. Quand leur heure sera venue, souhaitons que, des deux côtés, soit reconnue la place des matières de l'« hémisphère droit », comme l'art, la littérature et la musique. Si certains pays parviennent à promouvoir aussi bien l'innovation que l'excellence culturelle à travers l'éducation supérieure, nul doute que la France soit capable de relever le défi.

La moindre velléité de réforme de l'infrastructure culturelle française aura un coût. Si elles veulent survivre, les institutions culturelles sont condamnées à trouver d'autres sources de financement que l'argent public. L'expérience des États-Unis, du Royaume-Uni et d'autres ont démontré qu'à côté des subventions, d'autres solutions existaient comme les dons privés ou les partenariats entre le public et le privé. Du Tennessee à l'Angleterre, les pouvoirs publics ont su trouver des moyens innovants pour financer les activités culturelles, par l'intermédiaire des loteries, d'une taxe sur les chambres d'hôtel ou sur l'immatriculation des voitures.

Enjoindre la France d'adopter les usages philanthropiques en vigueur dans d'autres pays paraît inimaginable. Par habitant, les Anglais donnent cinq fois plus, et les Américains dix fois plus, aux organisations caritatives que les Français. Chez ces derniers, même parmi les plus aisés, ceux qui siègent dans les conseils d'administration d'institutions culturelles mettent rarement la main à la poche. Mais il reste une marge de manœuvre, surtout si le gouvernement adopte les incitations fiscales qui, ailleurs, ont encouragé les dons. Une suggestion : pourquoi ne pas rendre les contributions privées aux organisations caritatives ou culturelles immédiatement et intégralement déductibles de l'impôt sur le revenu ? Actuellement, ce type d'incitation est limité. « Aux États-Unis, vous pouvez faire don d'un tableau à un musée et obtenir en contrepartie une déduction intégrale, explique Christophe Boïcos. Ici, il y a des restrictions, les décisions importantes relèvent du gouvernement. Mais si le secteur privé s'impliquait davantage et si les institutions culturelles bénéficiaient d'une plus large autonomie, la France pourrait connaître une véritable renaissance artistique. »

Le choix par Nicolas Sarkozy de Christine Albanel pour occuper le poste de ministre de la Culture pourrait bien signaler un regain de faveur pour l'initiative privée. Dans sa précédente fonction de directrice de l'établissement public du domaine de Versailles, elle a encouragé le mécénat et le partenariat avec les entreprises. Et d'autres agissent de même. En 2007, le budget du festival d'Avignon a été établi avec 5 % de contributions venues de personnes privées ou d'entreprises, un chiffre que les organisateurs souhaiteraient accroître. Les Français se défient de l'immixtion des entreprises dans la culture, elle a pourtant des effets positifs à l'étranger et ne remet pas en cause l'indépendance des institutions culturelles qui en bénéficient. Même aux États-Unis, le privé ne compte que pour 2,5 % de toutes les dépenses dans les arts.

Il est peu probable que les Français fassent preuve d'une générosité démesurée aussi longtemps que les caisses de l'État assureront le fonctionnement des institutions culturelles. Modifier cette culture de la dépendance exigera un retrait radical des pouvoirs publics de la sphère culturelle. C'est une entreprise politiquement risquée. Margaret Thatcher était parvenue à réduire la dépense publique en faveur des arts au Royaume-Uni. Depuis lors, Tony Blair, tenant compte des gains politiques qu'il pouvait en tirer, est revenu sur certaines de ces coupes budgétaires, allant jusqu'à financer l'admission gratuite du public dans les principaux musées. La France, néanmoins, en maintenant un quasi-monopole d'État sur la culture risque d'entretenir une vision faussée de celle-ci et de la laisser apparaître comme la propriété privée des fonctionnaires et des élites parisiennes.

Certaines évolutions ne dépendent pas de la France, elles relèvent de la capacité des autres pays à revoir leur mode de pensée. Les États-Unis, le Royaume-Uni et l'Allemagne, en particulier, ont les yeux fixés sur leur considérable production culturelle, au point d'en ignorer injustement la France. Si le *Kunst Kompass* que publie le magazine allemand *Capital* est considéré comme un indicateur fiable des valeurs artistiques dans le monde, il lui est toutefois reproché de donner trop de poids au référencement des artistes allemands dans les expositions, les publications ou les musées. En outre, les pays anglophones souffrent d'une myopie proprement scandaleuse. « Il faut bien constater, hélas, que dans le domaine de la littérature, l'anglais se comporte plus en espèce invasive qu'en *lingua franca*, résistant à toute expression étrangère et s'efforçant de supplanter chacune, adoptant une voix tonitruante et ne prêtant jamais l'oreille à ce qui se dit dans d'autres langues », déplore Esther Allen de l'université Columbia. Un exemple : pour l'année 2007 on relève 85 occurrences des termes « art britannique » dans les archives du quotidien anglais *The Guardian*, contre 19 pour « art français ». « Lorsque je signale un roman français remarquable à un éditeur new-yorkais, je m'entends répondre : "too Frenchy", remarque Guy Walter, directeur de la villa Gillet, à Lyon. Mais comment le sauraient les Américains, ils ne lisent pas le français ! » Sur ce terrain, les pouvoirs publics peuvent les aider à s'orienter en poursuivant leurs efforts de promotion de la langue et de la culture françaises à l'étranger, d'autant que, dans cette tâche, ils n'étouffent pas la créativité.

Ce que ces étrangers n'ont pas saisi, c'est la vivacité de la culture française. Il suffit, pour en prendre la mesure, de voir *Indigènes* de Rachid Bouchareb ou *De battre mon cœur s'est arrêté* de Jacques Audiard, ces films intelligents et populaires qui ont rencontré le succès dans le circuit international des salles d'art et d'essai. Tout comme les films aux scénarios si soignés du réalisateur d'origine tunisienne Abdellatif Kechiche, dont les derniers longs métrages, *L'Esquive* et *La Graine et le Mulet*, ont tous les deux reçus le César du meilleur film.

Les romanciers aussi s'attaquent aux questions actuelles : l'un des événements de la rentrée littéraire 2007 aura été *À l'abri de rien* d'Olivier Adam (L'Olivier, 2007), qui évoque le sort des réfugiés du camp de Sangatte. Éric Zemmour, Philippe Besson et Mazarine Pingeot ont pris pour sujets de leurs romans des faits divers récents, provoquant des controverses et subissant des poursuites judiciaires. Avec *Prédateurs* (Albin Michel, 2007), Maxime Chattam a établi que les auteurs français pouvaient concurrencer les Anglo-Saxons dans le domaine du thriller. Patrick Chamoiseau, Yasmina Khadra, Anna Moï et Alain Mabanckou ont exposé les lettres françaises à la langue des anciennes colonies et de l'outre-mer. À leur instar, les fils et les filles de l'ancien empire pourraient bien rejoindre, aux premières places de la scène littéraire internationale, les grands écrivains de langue anglaise des ex-colonies britanniques. Tandis que les auteurs français de bande dessinée, influencés par les mangas japonais, ont placé leur pays parmi les tout premiers dans le domaine du « neuvième art », un des genres littéraires les plus excitants.

Benjamin Biolay, Vincent Delerm ou Camille ont donné un nouveau souffle à la chanson française. Des artistes comme MC Solaar, né au Sénégal de parents tchadiens, Abd Al Malik, fils d'immigrants congolais, ou Diam's, d'origine chypriote, ont su à partir du langage de la rue créer leur propre version du rap, plus sophistiquée et poétique que son modèle américain. Même si le genre n'inspire guère le respect parmi les élites du pays, il constitue l'une des veines culturelles les plus dynamiques en France et apparaît comme l'une des rares scènes où trouvent à s'exprimer les habitants des banlieues.

Voilà peut-être le détour par lequel la France pourrait recouvrer son prestige international. Partout dans le pays, les minorités insatisfaites et ambitieuses sont prises en flagrant délit de culture. Malgré sa politique de quotas et de subventions, la France est devenue un grand bazar multiethnique de l'art, de la musique et de la littérature en provenance de ses banlieues ou des recoins les plus éloignés du tiers-monde. Nulle part ailleurs la musique africaine, asiatique, latino-américaine n'est aussi présente dans les circuits de distribution. Les salles de cinéma programment des films afghans, argentins, hongrois ou d'ailleurs. « Les salles parisiennes montrent tous les jours cinq fois plus de films étrangers, récents ou anciens, que n'importe quelle autre ville de la terre », note le Britannique Perry Anderson, professeur à l'Université de Californie-Los Angeles, analysant la place de la France dans le monde. « Une bonne partie de ce que l'on appelle aujourd'hui le "cinéma mondial" — iranien, taïwanais ou sénégalais — doit sa visibilité à sa consécration par la France quand ce n'est pas à des financements français. Si des réalisateurs comme [Abbas] Kiarostami, Hou Hsiao-Hsien ou [Ousmane] Sembene avaient dépendu de la réception de leurs films dans le monde anglo-américain, ceux-ci n'auraient guère été vus en dehors de leur pays d'origine[1]. »

De la même manière, des éditeurs courageux, à l'image de feu Christian Bourgois, permettent à des auteurs de tous les pays d'être traduits en français, ce qui ne manquera pas d'influencer les écrivains des prochaines générations. Le phénomène n'a rien de nouveau : Proust, par exemple, s'est immergé

1. Perry Anderson, *La Pensée tiède — Un regard critique sur la culture française, suivi de « La Pensée réchauffée », réponse de Pierre Nora*, Seuil, 2005.

dans l'œuvre du Britannique John Ruskin avant d'écrire sa *Recherche.* Et les écrivains de demain ne seront pas tous des enfants du pays. « En France, des gens venus de partout ont toujours pu, dès leur arrivée, commencer à peindre ou à écrire en français, ou même dans d'autres langues », estime l'Iranienne Marjane Satrapi dont le film, adapté de sa bande dessinée *Persépolis*, a été nommé en 2008 aux Oscars dans la catégorie du meilleur film étranger. « La richesse de la culture française se fonde sur la qualité. »

Dans d'autres pays, en particulier aux États-Unis et au Royaume-Uni, les minorités ethniques et raciales sont davantage investies dans la vie culturelle et les institutions ont pour principe de respecter la diversité dans leurs programmes, leur public et le choix des artistes. En France, les mandarins de la culture favorisent une expression plus homogène qui, pour l'essentiel, rejette l'influence de l'immigration. En 2007, la Comédie-Française a dû annuler sa production de *Retour au désert,* une pièce de Bernard-Marie Koltès, après que l'administrateur général de la troupe eut confié le rôle d'Aziz, le « domestique journalier », à un comédien qui n'était pas arabe, contrevenant ainsi aux indications de l'auteur. Il fallut se rendre à l'évidence : la troupe de cinquante-six membres ne comptait aucun acteur originaire d'Afrique du Nord ou du Moyen-Orient, alors que, selon les estimations, 8 % de la population française est d'origine arabe.

Ce n'est peut-être pas une coïncidence si la fameuse liste des trois cents personnalités françaises de la culture, dressée par Olivier Poivre d'Arvor, omettait Saïd Taghmaoui, un des acteurs français qui ont le plus de succès à Hollywood (après son apparition dans *La Haine* on l'a vu dans *Les Cerfs-Volants de Kaboul* et dans la série *À la Maison Blanche*). Fils d'immigrés marocains, il a quitté la France, où, a-t-il expliqué au magazine *Newsweek*, « en tant qu'acteur issu d'une minorité, on vous cantonne le plus souvent dans des rôles de bouffons[1] ». De son côté, Frédéric Martel a parlé dans son livre de l'« hypocrisie » française en matière d'exception culturelle. Comme il me l'a expliqué : « Les Américains défendent la diversité culturelle sur leur territoire et s'y opposent à l'extérieur. La France défend la diversité culturelle dans le monde mais s'y oppose sur son territoire. »

Comment une nation peut-elle entretenir sa grandeur sinon en se nourrissant de l'énergie venue de ses marges ? « L'Amérique n'est pas seulement dominante parce qu'elle a une culture impérialiste, estime Frédéric Martel, mais parce qu'elle est devenue avec ses minorités immenses, le monde en miniature. » Examinons, par exemple, l'accession récente

1. Dana Thomas, « Saïd Taghmaoui : from the ghetto to the global screen », *Newsweek*, 31 décembre 2007.

de Berlin au statut de capitale culturelle. Son essor n'a qu'un lien ténu avec son rôle, d'ailleurs très secondaire, de place financière internationale mais doit beaucoup, en revanche, à son marché immobilier. Conséquence de la chute du Mur, l'offre est abondante et les prix sont bas. Depuis 1989, en effet, des quartiers résidentiels délabrés ont accueilli des vagues de nouveaux arrivants, dont de nombreux artistes, venus de l'étranger, d'autres régions, voire de l'ouest de Berlin. Tout comme Montmartre ou Montparnasse, quartiers populaires investis par la bohème, expliquent l'effervescence artistique de Paris au siècle dernier, les vides sont aujourd'hui occupés par la nouvelle avant-garde culturelle sortie des marges de la société.

Pour peu que l'on accepte une définition un peu large de la notion de culture, on y intègre sans peine deux domaines dans lesquels la France excelle grâce aux influences extérieures qu'elle absorbe. Si le pays a conservé sa prééminence dans la mode, il le doit au flair de ses stylistes pour capter les tendances, de Coco Chanel et Pierre Cardin à Anne Valérie Hash en passant par Christian Lacroix et Jean-Paul Gaultier. Les maisons de haute couture ou de prêt-à-porter de luxe ignorent les frontières. Ainsi, les stylistes britanniques John Galliano, Alexander McQueen et Stella McCartney ont créé des collections respectivement pour Christian Dior, Givenchy et Chloé ; l'Israélien Alber Elbaz travaille pour Lanvin ; l'Américain Marc Jacobs pour Louis Vuitton et Karl Lagerfeld, né en Allemagne, a depuis longtemps pris en main les destinées de Chanel. À bien des égards, la mode préfigure le destin de la culture en général, c'est-à-dire sa transformation en un grand marché international où la nationalité perd son sens au profit du seul critère de créativité. L'une des raisons de ces succès de la France est l'absence quasi-totale de subventions et de fonctionnaires dans ce domaine.

Quant à la cuisine française, élaborée sur les fondations de la tradition italienne et, de plus en plus, asiatique, elle reste la référence mondiale mais affronte une sérieuse concurrence, en provenance notamment du Royaume-Uni, du Japon et des États-Unis. De ce point de vue, l'inscription de la « gastronomie française » au patrimoine mondial de l'humanité proposée par Nicolas Sarkozy semble davantage relever de la préservation que de l'innovation. Dans un secteur connexe, le vin, les producteurs français se sont résolus à employer des méthodes mises au point à l'étranger, telles que la fermentation à froid, le microbullage et surtout les techniques de marketing, pour conserver leur réputation d'excellence face à la concurrence des vins du Nouveau Monde. Les échanges ne datent pas d'hier : pendant la crise du phylloxéra, dans les années 1860, presque tous les vignobles français furent reconstitués grâce à des plants venus des

États-Unis et utilisés comme porte-greffes. « Nous devons prendre le risque de la mondialisation, affirme Guy Walter de la villa Gillet. Et accueillir le monde extérieur. »

Le monde extérieur a beaucoup changé. Quand la France s'efforce d'attirer l'attention sur la scène culturelle mondiale, elle est en concurrence avec des cinéastes iraniens ou sud-coréens, des musiciens du Japon ou d'Europe de l'Est, des écrivains indiens ou mexicains (et, ces dernières années, des prix Nobel de littérature turc ou sud-africain). Les pays émergents d'Asie se montrent particulièrement dynamiques. À peu près moribonde voilà deux décennies, la littérature chinoise revient en force. Paru en 2004, *Le Totem du loup*, roman de l'universitaire pékinois Jiang Rong, s'est vendu à 20 millions d'exemplaires en Chine. Il a été depuis publié dans 24 pays et sera bientôt adapté en bande dessinée par une société japonaise qui en a acheté les droits pour 300 000 dollars. Les stars du cinéma chinois — Jackie Chan, Gong Li ou Zhang Ziyi... — et de la pop musique — Faye Wong, Jay Chow, Sun Yue... — sont désormais des célébrités dans toute l'Asie. La culture de masse est utilisée par la Chine pour exercer son influence en Asie et, bientôt, en Europe. Pékin impose encore, pour des raisons idéologiques, de sévères restrictions à l'importation de produits culturels étrangers mais ce contrôle s'est assoupli ces dernières années, si bien que les films étrangers représentent deux tiers des revenus du secteur. La scène artistique chinoise est aujourd'hui l'une des plus dynamiques du monde, situation que reflètent les grandes ventes aux enchères, où les œuvres des artistes chinois atteignent plusieurs millions de dollars. Et à la faveur des Jeux olympiques, Pékin a accueilli de magnifiques bâtiments dont l'audace effraierait bien des élus français. La diffusion de la culture chinoise à l'ensemble de l'Asie est une conséquence indirecte d'un parti pris stratégique : pour étendre son influence, le pays a choisi de s'appuyer sur les échanges commerciaux et non sur la réglementation ou la puissance militaire. On trouve des DVD et des CD chinois sur les étals de rues dans tous les pays en développement, y compris dans des régions où le chinois est peu parlé.

L'Asie joue aussi un rôle de premier plan dans la musique classique de sorte que les académies et les salles de concert occidentales s'arrachent les interprètes formés en Extrême-Orient. « L'essor de la classe moyenne, au Japon après la Seconde Guerre mondiale, en Corée du Sud après la guerre de Corée, en Chine après la Révolution culturelle, a permis à de nombreux habitants de ces pays de pratiquer la musique à un très haut niveau, explique la nippo-américaine Mari Yoshihara, auteur d'un ouvrage sur la question en 2007, *Musicians from a Different Shore*. La mise au point de pédagogies musicales efficaces, comme la méthode Suzuki, dans la seconde moitié du XXᵉ siècle a aussi joué un rôle significatif, contribuant à la diffusion de la pratique musicale dans la classe moyenne. » Du fait de sa croissance démographique et de la prospérité dont elle jouit en Asie, cette couche sociale est appelée à jouer un rôle encore plus important comme productrice et consommatrice de culture. De même, le programme El Sistema, mis en place au Venezuela voilà trente-trois ans pour repérer et former les jeunes virtuoses classiques, a si bien fait ses preuves que vingt-trois autres pays du Sud en ont adopté une déclinaison. La France et les autres pays occidentaux auront donc affaire à une concurrence accrue. La barre sera placée toujours plus haut.

Un indicateur international important confère à la France une position remarquable : la qualité de vie. Elle se classe parmi les dix premiers du classement élaboré par les Nations unies selon l'indice de développement humain, alors que selon le revenu par habitant elle entre de justesse dans les vingt premiers. Plusieurs notoriétés du monde culturel, comme le baroqueux William Christie ou le sculpteur Anselm Kieffer, ont d'ailleurs choisi de s'y installer. Leur exemple pourrait faire des émules et la France pourrait même retrouver son pouvoir d'attraction auprès de ceux qui l'ont quittée, à la condition qu'elle baisse son taux d'imposition et réforme

(ou supprime) l'impôt sur la fortune. Qu'on s'en réjouisse ou qu'on le déplore, la France est confron-
tée à une concurrence mondiale pour attirer les
talents. Sandrine Voillet, l'animatrice de l'émission
« Sandrine's Paris » sur l'une des chaînes de la
BBC, le constate : « La situation géographique perd
toute signification pour la production culturelle. Les
artistes travaillent partout dans le monde, en rencontrent d'autres partout dans le monde et vendent
leurs œuvres partout dans le monde. »

En 1946, Jean-Paul Sartre remerciait les États-
Unis pour l'existence d'Ernest Hemingway, de
William Faulkner et d'autres écrivains ainsi que
pour l'influence qu'ils exerçaient sur la littérature
française — alors que les Américains eux-mêmes
considéraient déjà ces auteurs comme quelque peu
dépassés. « Nous vous restituerons les techniques
que vous nous avez prêtées, promettait-il. Nous
vous les rendrons digérées, intellectualisées, moins
efficaces, moins brutales — délibérément adaptées
au goût français. Par ces échanges incessants qui
font que les nations redécouvrent chez d'autres ce
qu'elles-mêmes avaient inventé, puis rejeté, peut-
être redécouvrirez-vous, dans ces livres étrangers,
l'éternelle jeunesse de ce "vieux" Faulkner[1]. »

C'est ainsi que le monde finira par découvrir

1. Jean-Paul Sartre, « Les romanciers américains vus par les
Français, », *La Nouvelle Revue française*, septembre 1997.

l'éternelle jeunesse de la France, un pays qui, dans sa longue quête de prestige, a su raffiner l'art de l'emprunt. Et lorsque les esprits les plus conformistes de l'establishment culturel du pays cesseront d'imposer leur propre vision et reconnaîtront la valeur des ferments apparus dans les marges, la France recouvrera sa réputation de puissance culturelle. Alors, et seulement alors, *Time* pourra consacrer sa couverture à « La renaissance de la culture française ».

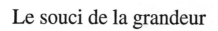

Le souci de la grandeur

Jules Grévy, inaugurant le Salon annuel de peinture vers 1880, demanda s'il était réussi : « Rien d'extraordinaire, lui répondit-on, mais une bonne moyenne. » Le président de la République se frotta les mains : « Une bonne moyenne ! Très bien ! C'est ce qu'il nous faut dans une démocratie. » Grévy, opportuniste et blasé, qui devait bientôt démissionner quand on sut que son gendre vendait la Légion d'honneur, était en avance sur son temps. Nous nous sommes longtemps crus les meilleurs, mais la France est aujourd'hui une puissance culturelle moyenne — une bonne moyenne puissance culturelle.

Nous sommes pourtant tombés de haut lorsque nous avons appris en décembre 2007, en grands caractères sur la couverture de l'édition européenne de *Time*, « la mort de la culture française ». Pire encore, l'édition américaine parue la même semaine portait une autre couverture et l'article n'y figurait même pas.

C'est que la nouvelle — rien de moins que la chute de la maison France — n'est plus de celles que les commerciaux de *Time* jugent susceptibles d'intéresser leurs lecteurs nationaux. Vu des États-Unis, en tout cas telles que les attentes de son public sont conçues par Time Warner, grosse artillerie culturelle qui détient aussi AOL, HBO et CNN, la disparition de la culture française est une affaire classée — c'est-à-dire l'effacement de la France tout court, car nul pays ne s'est jusqu'à ce jour autant identifié à sa culture. Et le cadavre a eu tout son temps pour refroidir. Seuls les Européens peuvent encore s'émouvoir de l'information — que l'édition asiatique de *Time*, suite à la polémique, a quand même reprise le mois suivant —, les Français au premier chef, mais aussi leurs partenaires européens qu'il convient d'avertir du naufrage de leur prétentieux voisin.

En vérité, au-delà du titre à l'emporte-pièce et de la couverture tape-à-l'œil, l'article de Donald Morrison ne contenait aucune information inédite ni révélation scandaleuse. Qui nierait que la culture française — la littérature, le cinéma, la peinture, et même la haute couture, la cuisine, le vin — ne s'exporte plus aussi bien que par le passé ? Qu'elle ne jouit plus de la cote d'amour qui mettait traditionnellement hors concours les articles de Paris ? Que d'autres cultures non seulement européennes, mais aussi américaines, asiatiques, africaines, lui prennent des parts de marché ? Il n'y avait pas là de quoi fouetter un chat.

Au lendemain de la parution de ce funèbre numéro de *Time*, *Le Monde* m'a toutefois demandé de réagir. Pourquoi pas ? J'étais de passage à Paris au milieu d'un séjour prolongé à New York. C'était l'occasion de donner mon point de vue, réaliste sinon pessimiste, sur la force de frappe de notre culture. Loin de refuser en bloc le diagnostic déçu de Donald Morrison, j'en arrondis les angles, je signalai quelques exceptions. Et je montrai peu d'enthousiasme pour les remèdes multiculturels qu'il nous prescrivait pour nous redresser. Ma tribune fut la première à paraître dans la presse française[1], puis je repartis pour New York sans me douter du charivari que la couverture du magazine américain allait aussitôt déclencher en France, ou plutôt dans un ou deux arrondissements de la rive gauche, durant quelques semaines de la fin de 2007, jusqu'à la trêve des confiseurs.

De New York, j'observai l'avalanche des réactions. Dans l'ensemble, on se scandalisait, on se révoltait contre le cruel résumé que Donald Morrison avait donné de la culture française. Comme trois ans plus tôt quand la *London Review of Books* avait publié deux articles ravageurs du sociologue marxiste

1. « Le déclin français vu des États-Unis », *Le Monde*, 30 novembre 2007.

Perry Anderson sur « La chute de la France[1] ». Je me rendis vite compte que j'avais été à peu près le seul à ne pas donner tout à fait tort au journaliste de *Time*, sans pourtant le suivre jusqu'au bout dans son argumentation. Si le rayonnement international de la culture française semble diminuer, c'est sans doute qu'elle a perdu pour le moment sa capacité à sortir d'elle-même et à regarder le monde. Mais si la culture française est en crise, ce n'est pas la première fois et les autres cultures le sont aussi, à commencer par l'américaine. Et les crises peuvent avoir du bon quand on en sort renforcé. Les émissions de radio et de télévision se multiplièrent ; on m'invita à l'une ou l'autre. Heureusement que je ne pus m'y rendre, car je me serais retrouvé entre le marteau et l'enclume.

De retour à Paris après la bataille, je trouvai dans mon courrier pas mal de lettres — bien plus nombreuses que lorsque je m'exprime dans les journaux sur les universités, la recherche ou l'école —, qui s'en prenaient à ma tribune du *Monde*. Pour la plupart, leurs auteurs étaient animés par un antiaméricanisme assez franc, endémique en France[2]. Une de

1. Perry Anderson, « Dégringolade » et « Union sucrée », *London Review of Books*, 2 et 23 septembre 2004 ; traduits sous le titre *La Pensée tiède — Un regard critique sur la culture française, suivi de « La Pensée réchauffée », réponse de Pierre Nora*, Seuil, 2005.
2. Voir Philippe Roger, *L'Ennemi américain — Généalogie de l'antiaméricanisme français*, Seuil, 2002.

mes phrases les avait spécialement fâchés, celle où, donnant acte à Donald Morrison de l'attrait modeste du roman français contemporain, j'avouais que je lisais « le dernier Philip Roth, Pynchon ou DeLillo plus volontiers que la dernière autofiction germanopratine, facétie minimaliste, ou dictée post-naturaliste ». La moutarde en était montée au nez de mes interlocuteurs, mais c'était surtout l'allusion à Philip Roth qui les avait indignés — je fais l'hypothèse que les deux autres noms ne leur disaient rien —, et ils m'opposaient tel ou tel écrivain français rare, gentil et inoffensif au nom de la défense de la langue française : « Je donnerais tous les pavés indigestes de Roth, dont je n'ai jamais pu finir aucun, pour quelques pages touchantes de Paul Maçon sur un crépuscule de Châteauroux », m'écrivait l'un d'eux.

Je mesurai alors combien ma prise de position avait été décalée par rapport à l'opinion française quasi unanime. Aussi réservé face à l'attaque qu'aux ripostes des intermédiaires culturels parisiens, je me retrouvais assez seul entre deux chaises, à la place de l'agent double, du transfuge, voire du traître, c'est-à-dire du Français passé à l'ennemi, sous prétexte que je mettais mon drapeau dans ma poche et que je ne montais pas au front la fleur au fusil. C'était ainsi que me traitaient certains de mes correspondants les plus effrontés.

Pourquoi m'étais-je d'instinct senti si peu en

phase avec la contre-offensive française à venir ? De fait, si j'avais attendu quelques jours pour réagir, si je ne l'avais pas fait avant de connaître la nervosité de l'opinion française, avant d'observer notre extrême susceptibilité à toute mise en cause venue de l'étranger, je n'aurais plus pu me prononcer, car j'aurais été forcé de me désolidariser expressément de mes compatriotes, de peser le pour et le contre, de dialectiser, de subtiliser. Admettons que la France doive être défendue pour ce qu'elle produit aujourd'hui de meilleur sur la scène culturelle mondiale, mais ce n'est pas une raison pour ne pas rester clairvoyant devant ses faiblesses.

C'est cette épreuve de solitude qui me contraint à revenir d'abord sur ma propre situation à l'égard de la culture française comme de la culture américaine et de leur éventuelle dégringolade commune, à réfléchir à ma vieille ambivalence franco-américaine généralement bien refoulée mais qui m'est revenue violemment à la figure en cette occasion. Une fois ce compte-là réglé, je prolongerai la discussion avec Donald Morrison non pas en lui opposant une défense et illustration de la culture française, mais en tentant de me démarquer des caricatures réciproques. Car il faut bien avouer que je ne me sens solidaire ni du réquisitoire américain contre la culture française monté par le magazine *Time*, ni du plaidoyer français, qu'il soit formulé par les anciens ou par les modernes, par les défenseurs de « la culture pour tous » comme Maurice Druon, de l'Académie française, ancien ministre des Affaires culturelles, et par ceux de « la culture par tous », comme Olivier Poivre d'Arvor, directeur de Culturesfrance. À cette solitude face à l'union sacrée de l'opinion française du *Figaro* jusqu'à *Libération*, alliés dans la défense de la culture nationale, il y a des raisons objectives et des raisons subjectives. Commençons par celles-ci.

1

Si j'interviens rarement sur des sujets qui touchent aux relations franco-américaines, c'est que je ne suis pas sans savoir que le malentendu est à peu près fatal entre les deux cultures.

J'ai publié une seule fois un article sur l'état des études littéraires françaises aux États-Unis, il y a près de vingt ans[1], et bien mal m'en a pris. J'y décrivais le caractère de plus en plus idéologique et limité de ces études, sous l'effet des mots d'ordre de diversité culturelle, de politique identitaire et de fierté communautaire : c'était un article à contre-courant dont on m'a longtemps tenu rigueur. Cette fois, j'ai ressenti le même malentendu à rebours. Le

1. « The diminishing canon of French literature in America », *Stanford French Review*, vol. XV, 1-2, 1991.

problème, quand on a vécu trop longtemps entre deux cultures, comme c'est mon cas avec la France et les États-Unis, c'est qu'on n'adhère plus à aucune et que la distance et l'ironie sont fatales. Au fur et à mesure des années, j'ai vu tant de Français écrire savamment sur l'Amérique après un bref séjour à New York ou un passage éclair en Californie — et tant d'Américains de Paris faire commerce de leurs itinéraires gourmets à Montparnasse ou dans le Marais — que j'ai préféré rester sur mes gardes.

Je porte un nom bien français qui renvoie clairement à des origines populaires, à une vieille tradition ouvrière, un nom qui, comme pour tant d'autres Français, désigne une promotion sociale moderne par l'école. J'enseigne depuis près de trente-cinq ans la littérature française, en France et hors de France, dans des « lieux de mémoire » au cœur de la nation, comme la Sorbonne ou le Collège de France. Pourtant je me sens si peu ou si mal français. D'abord je ne suis pas né en France ; ma mère n'était pas française ; la plus grande partie de mon enfance et de mon adolescence s'est passée loin de la « métropole ». Qu'on ne s'y méprenne pas : je ne revendique par là aucune différence ni métissage, qui sont aujourd'hui signes de distinction lorsque vous venez du Sud ou de l'Est, et ce n'est justement pas mon cas, puisque nul autre pays que la France ne m'a plus marqué que les États-Unis. J'y suis arrivé pour la première fois en 1962, par le paquebot

France — tout un nom, et le symbole d'un pays qui se prenait encore pour une grande puissance —, à la veille de la crise de Cuba, qui a été mon initiation américaine. Depuis, je n'ai pas cessé d'aller et venir entre les deux bords de l'Atlantique.

J'étais en Amérique le 22 novembre 1963, jour de l'assassinat de John F. Kennedy. Nous sortions de déjeuner quand nous avons appris la nouvelle par un condisciple de ma « High School » de Washington D.C. qui venait de l'entendre sur son autoradio (les élèves garaient leur voiture sur le parking). Nous nous sommes mis à parler follement sur la pelouse, puis, démobilisés, nous avons été renvoyés chez nous. Dans l'autobus, nous nous interrogions sur la procédure de la passation des pouvoirs, le vice-président Lyndon Johnson succédant au président assassiné.

J'étais en Amérique le 11 septembre 2001. Revenu quelques jours plus tôt, New York ne m'était jamais apparue aussi belle depuis le hublot avant d'atterrir à JFK par une matinée immaculée de soleil. Un ami m'a appelé de « Downtown » à 9 heures pile, après avoir de ses yeux vu le premier avion percuter la tour Nord. J'ai allumé la télévision pour regarder CNN, vu le second avion s'enfoncer dans l'autre tour et la suite, les hommes et les femmes qui se jetaient par les fenêtres, l'effondrement, le décompte des disparus. Le soir, New York était une ville morte. J'ai remonté Madison Avenue au milieu de la chaussée sans le moindre véhicule, comme un homme seul dans une ville atomisée.

Quand on a vécu aux États-Unis l'assassinat de Kennedy et le 11-Septembre, quand on y a été « teenager » et que ses condisciples sont partis au Vietnam, on n'est pas tout à fait pareil. Je n'ai pas connu de dates équivalentes dans l'histoire de France. Je me souviens du 13 mai 1958, un de mes premiers souvenirs politiques : les discours de De Gaulle auxquels ma mère était accrochée à la radio, je les entends encore. En mai 1968, j'étais enfermé dans un internat de province. Le 10 mai 1981 — toujours mai —, je n'étais pas non plus en France.

Aux États-Unis, j'ai aussi vécu plusieurs absurdes moments d'hystérie antifrançaise : en 1965, lorsque de Gaulle a annoncé le retrait français de l'OTAN ; en 1986, lorsque la France refusa d'ouvrir son ciel aux bombardiers américains en route vers la Libye ; et bien sûr en 2003, lorsque Jacques Chirac menaça d'utiliser le veto de la France contre la guerre en Irak au Conseil de sécurité de l'ONU. Ces moments-là, je les ai vécus avec peine, mais il y en a eu d'autres plus joyeux pour la France et la culture, par exemple lorsque Malraux est venu apporter *La Joconde* à Jacqueline Kennedy et aux Américains. En ce temps-là, l'art et la haute culture faisaient encore bon ménage avec le luxe et la haute couture sans heurter les sensibilités démocratiques. Déguisé en groom de chez Maxim's avec un petit chapeau rouge, je passais un plateau de cigarettes aux réceptions de l'ambassade lors des tournées annuelles du Théâtre de France — « de France » toujours. Que le mot France avait encore de cachet dans le Nouveau Monde avec le paquebot, ou l'Odéon que Malraux avait donné à Jean-Louis Barrault sous ce nom de Théâtre de France. *Les Paravents* de Genet puis Mai 68 devaient bientôt troubler ce luxe et ce calme, car on dansait sur un volcan.

Bref, ici, je suis définitivement catalogué proaméricain. Une bonne partie de ma famille et de ma vie me rattache aux États-Unis. Pourtant je n'y colle sûrement pas plus qu'à la France. D'ailleurs je ne prétends pas les connaître hors de la côte Est. Je les ai traversés deux fois en voiture, la première par le Nord, la seconde par le Centre. Je me suis rendu dans plus de la moitié des États, mais je n'ai fait qu'y passer et au fond je ne me sens bien qu'à New York, ville si peu américaine, détestée par la majorité des Américains, métropole globale rassemblant toutes les diasporas, extrême Europe et pointe avancée du Sud dans le Nord. À plusieurs reprises, j'ai refusé un poste ailleurs, au Sud, à l'Ouest et à l'Est, sur de beaux campus pimpants.

Et l'Amérique, je ne l'idéalise pas. Ce que j'y aime, c'est la Constitution, le Premier Amendement, la démocratie, les libertés, le respect de la « rule of law ». Ce que j'y déteste, c'est l'intolérance et la censure toujours prêtes à resurgir, depuis *La Lettre écarlate* jusqu'au maccarthysme, et encore aux « culture wars » sous le premier président Bush, aux atteintes aux libertés civiles après le 11-Septembre et le « USA Patriot Act » d'octobre 2001.

Au cours d'une transhumance franco-américaine qui devient longue, l'année la pire, sans conteste, a été 2002-2003, durant un dur automne, surtout new-yorkais, de préparation à la guerre et d'élections au Congrès, puis un printemps affreux, surtout parisien, d'invasion en Irak et de manifestations anti-américaines sous couvert de dénonciation de la guerre. Avec un malaise, une envie de disparaître des deux côtés. L'automne fut horrible parce que l'opinion et la presse américaines n'avaient pas encore réagi à l'autocensure que la « guerre contre le terrorisme » leur avait imposée, et non seulement les quotidiens éclairés comme le *New York Times*, mais aussi les revues libérales au sens américain, comme *The New Republic*, étaient devenus illisibles. Les démocrates, de crainte que la moindre critique de la diplomatie et de la stratégie de George W. Bush ne les exposât à l'accusation d'antipatriotisme et ne leur fît perdre les élections de novembre, faisaient l'autruche au lieu de l'âne. Un discours exclusif sur les « armes de destruction massive », dont nous avons appris depuis qu'il était mensonger, pesait partout comme une chape de plomb, et même sur les campus universitaires nulle alternative ne s'offrait.

Puis, revenu en France, je n'épousai pas davantage la pensée unique du moment et je dus être l'un des rares Français à ne pas applaudir des quatre mains le discours de Dominique de Villepin au Conseil de sécurité des Nations unies en février 2003, non pas que je fusse un partisan de la guerre ni un adepte du remodelage démocratique du « Grand Moyen-Orient », mais parce que la menace du veto français était diplomatiquement contre-productive. Le jour de l'invasion américaine de l'Irak, le 20 mars 2003, j'allais commencer mon cours de licence à la Sorbonne quand un étudiant me demanda de le laisser faire une annonce. J'acceptai. Il appela ses condisciples à une manifestation contre la guerre devant l'ambassade des États-Unis, place de la Concorde. Reprenant alors la parole, je leur dis de faire attention à ne pas manifester en faveur d'un tyran, mais les slogans de ce jour-là et des rassemblements qui suivirent, non seulement antiaméricains mais parfois aussi antisémites, devaient aggraver le malaise de ma plus mauvaise expérience franco-américaine.

Depuis, la presse américaine s'est reprise — avec la révélation du scandale d'Abu Ghraib par le *New Yorker* en avril 2004, puis par les enquêtes du *New York Times* sur la fiction des armes de destruction massive qui avait servi de prétexte à l'invasion de l'Irak —, ainsi que la classe politique. L'Amérique s'est ressaisie, même si elle ne sortira pas de la guerre d'Irak de sitôt et si son image dans le monde paraît durablement ternie. Mais la société américaine et son système politique ont une fois de plus prouvé leur capacité d'autorégulation. Impossible de faire abstraction de ce contexte pour apprécier la réception en France d'une mise en cause américaine de la culture française.

2

La seconde raison, peut-être plus objective, pour laquelle je n'avais pas prévu la vivacité des réactions françaises à l'article de Donald Morrison, c'est que son diagnostic me semblait en gros correct, en tout cas sur la littérature, le cinéma ou les arts plastiques, et même si on pouvait lui reprocher quelques omissions, notamment celle des succès mérités de plusieurs musiciens et architectes français à l'étranger. Il ne faisait d'ailleurs que reprendre des données souvent publiées en France même, y compris dans de nombreux documents officiels. Sans doute n'avais-je pas fait attention à la couverture du magazine, figurant une sorte de mime Marceau éploré, puisque j'avais lu l'article sur Internet.

En revanche, je venais de parcourir le petit pamphlet de Richard Millet, *Désenchantement de la littérature* (Gallimard, 2007), infiniment plus sévère pour la culture française : « J'ai peu à peu compris que je vivais dans un pays qui est mort », répondait Richard Millet dans un entretien sur son livre, avant de préciser que ce qui était mort, c'était « la France en tant que nation littéraire et universelle[1] ». Rien d'aussi définitif chez Donald Morrison, mais il est vrai que Richard Millet avait lui aussi heurté et qu'on l'avait traité sinon de vil antifrançais, du moins de sale réactionnaire.

Moins acariâtre, plus raisonnable et donc plus redoutable, Maryvonne de Saint-Pulgent, conseiller d'État, ancienne directrice du patrimoine au ministère de la Culture, venait de faire observer dans une conférence que la culture française, traditionnel attribut de la puissance nationale depuis l'Ancien Régime jusqu'à la Grande Guerre, puis substitut de la puissance nationale, était même désormais déchue de ce rôle consolateur. « Nos services de l'action culturelle extérieure, jugeait-elle, se sont développés à mesure que s'affaiblissait la puissance économique et militaire française du fait des deux guerres mondiales[2]. » Ainsi s'expliquait à ses yeux que la

1. Jacques de Guillebon, « Richard Millet : "Le désenchantement ou la grâce" », *La Nef*, 187, novembre 2007.
2. Maryvonne de Saint-Pulgent, « La France, puissance culturelle ? », conférence prononcée à la Société d'études françaises de Bâle, 17 septembre 2007.

fierté nationale se réfugiât aujourd'hui dans la défense de la culture, si bien que « toute atteinte au renom artistique français est ressentie par l'opinion comme une menace contre la nation elle-même ». Résignée, elle reconnaissait pourtant « l'incontestable recul de l'influence intellectuelle française, désormais plus régionale que mondiale ».

Mais Richard Millet et Maryvonne de Saint-Pulgent n'étaient pas seuls, loin de là : l'essai sur le déclin français est un genre qui se porte fort bien à Paris ces dernières années. Déclin économique, déclin industriel, déclin diplomatique, déclin culturel, déclin littéraire : il y en a pour tous les goûts. Sans rappeler les « best-sellers » de Nicolas Baverez, *Les Trente Piteuses* (Flammarion, 1997) et *La France qui tombe — Un constat clinique du déclin français* (Perrin, 2003), vite démodés par le rythme où va l'actualité, les cris d'alarme sur le malaise français en matière de culture et de littérature ont proliféré depuis *L'État culturel — Essai sur une religion moderne* de Marc Fumaroli (de Fallois, 1991), suivi de *La Comédie de la culture* de Michel Schneider (Seuil, 1993). Tous deux dénonçaient vertement les dérives démagogiques de la politique culturelle de la France sous le règne de Jack Lang : « la création par tous » avait remplacé « la culture pour tous » ; la « démocratie culturelle » avait triomphé de la « démocratisation de la culture ». Il y a donc près de vingt ans, Marc Fumaroli et Michel Schneider, avec d'autres comme Alain Finkielkraut dans *La Défaite de la pensée* (Gallimard, 1987), signalaient déjà la panne de la culture française — le déficit de la lecture, la moindre fréquentation des lieux de haute culture, la promotion de la diversité culturelle, la marchandisation des biens culturels, la victoire de la consommation culturelle —, tout en la liant à une inflexion de la politique ministérielle de Malraux à Lang.

Plus franco-français encore, on se souvient de l'« Appel contre la guerre à l'intelligence » lancé par *Les Inrockuptibles* en mars 2004 et signé par nombre d'intellectuels et de culturels contre le gouvernement de Jean-Pierre Raffarin et la droite française, accusés de « mépris pour l'intelligence » et de renoncement à toute ambition culturelle, c'est-à-dire d'une « politique du chien crevé au fil de l'eau » en la matière (sollicité, je n'ai pas signé cette pétition, parce que se réclamer de l'intelligence m'a paru suspect et me rappelait trop le manifeste du « Parti de l'intelligence », lancé par le maurrassien Henri Massis en 1919).

La culture a été peu présente dans la campagne présidentielle de 2007, même si plusieurs publications avaient insisté sur la crise de la politique culturelle à l'automne 2006, comme *Les Dérèglements de l'exception culturelle* de Françoise Benhamou (Seuil) et un dossier du *Débat* (novembre-décembre 2006). Ce dossier, intitulé « Quelle politique pour la culture ? », rassemblait les réponses de Jack Lang,

Marc Fumaroli, Maryvonne de Saint-Pulgent et Philippe Urfalino à un texte de la sociologue de la culture Nathalie Heinich s'en prenant aux « intermédiaires culturels », les fonctionnaires et autres agents publics, « tout-puissants et déresponsabilisés », opérant entre initiés et méconnaissant la production artistique dans sa diversité.

Depuis, les ouvrages ont continué de pleuvoir : entre autres, *Crises dans la culture française* d'Antoine de Baecque (Bayard, 2008), *Le Grand Dégoût culturel* d'Alain Brossat (Seuil, 2008), ou *La Grande Déculturation* de Renaud Camus (Fayard, 2008). De gauche ou de droite, tous y vont du même refrain familier : « baisse des pratiques culturelles », « faillite de la démocratisation culturelle », « fracture culturelle », « ghetto culturel »[1]. Ou, plus insidieusement, fin de « la prédominance d'une culture proprement "française" » dans une société de plus en plus métissée. Ou encore, concernant le rayonnement à l'étranger : « identité culturelle en miettes », « chute des traductions », « débâcle du français dans les institutions européennes et les organismes internationaux », « dégradation de l'enseignement du français à l'étranger[2] ». Quand on a

---

1. Le constat n'est pas nouveau : voir Olivier Donnat et Denis Cogneau, *Les Pratiques culturelles des Français, 1973-1989*, La Découverte/La Documentation française, 1990.
2. Voir Jacques Barrat, *Géopolitique de la francophonie*, Presses universitaires de France, 1997.

appris en mars 2008 que la France serait représentée au concours de l'Eurovision par une chanson en anglais, *Divine* de Sébastien Tellier, des parlementaires et le secrétaire d'État à la Francophonie ont exprimé leur surprise, mais la colère est vite retombée parce qu'on en a vu d'autres, et la soirée s'est déroulée fin mai sans faire de vagues ni récompenser la chanson française[1].

Conséquence immédiate de la baisse de l'enseignement du français dans le monde, le nombre d'étudiants étrangers en France s'effrite lui aussi : 250 000 en 2005, comme en 1985, après une chute à 130 000 en 1997-1998. Et surtout, chiffres qui complètent le noir tableau de Donald Morrison, sur un marché planétaire de la connaissance et de la formation en pleine expansion, la France n'accueille plus que 9 % des étudiants faisant leurs études supérieures en dehors de leur pays, loin derrière les États-Unis (30 %), mais aussi derrière le Royaume-Uni (14 %), l'Allemagne (12 %) et l'Australie (10 %)[2].

Du côté du marché de l'art, Donald Morrison rappelle la petite cote des plasticiens français. Rien de nouveau sous le soleil pour qui se souvenait d'un

1. Voir Benoît Duteurtre, « Si la France chante en anglais... », *Le Figaro*, 23 mai 2008.
2. *Rapport d'information [...] sur l'accueil des étudiants étrangers — L'Université, un enjeu international pour la France*, Sénat, nᵒ 446, 30 juin 2005.

article morose de Philippe Dagen en 2001, « Le lent effacement de l'art français sur la scène mondiale[1] », rendant compte d'un rapport commandé par le ministère des Affaires étrangères à un sociologue à propos de la place des artistes français sur la scène internationale. Suivant Alain Quemin, l'expert consulté par le ministère, « la présence des artistes français contemporains est non seulement très faible dans les collections permanentes des grandes institutions culturelles internationales, qui se caractérisent par ailleurs par une très forte concentration des nationalités représentées (ce phénomène bénéficiant essentiellement à deux pays, l'Allemagne et surtout les États-Unis), ou même dans leurs expositions temporaires, mais cela est d'autant plus marqué que la période considérée est récente ». Bref, ça n'allait pas bien, et même de mal en pis. Même verdict à propos de la représentation des artistes français dans les foires internationales et dans les ventes publiques. Conclusion de Philippe Dagen : « Au total, en chiffres, l'art français actuel se situe au quatrième rang, à égalité avec l'art italien, dans une situation écrasée par le duo États-Unis/Allemagne, qui constitue à lui seul les deux tiers au moins du marché et de l'actualité. La Grande-Bretagne [...], sans pouvoir rivaliser avec les géants, tient honorablement sa place de troisième. » Et de signaler

1. *Le Monde*, 8 juin 2001.

— comme Fumaroli, Schneider et les autres — les effets pervers de la politique d'État qui fait de la culture un service public : « Subventionnées pour participer à la Foire de Bâle 2000 — ce qui est déjà en soi un handicap aux yeux du marché —, dix-neuf galeries françaises présentaient sur leurs stands et dans le catalogue plus d'artistes étrangers que d'artistes français. »

On ne trouvera rien de plus cruel chez Donald Morrison, sinon que la situation s'est encore dégradée depuis 2001. Commentant les résultats du dernier *Kunst Kompass*, Alain Quemin revenait d'ailleurs sobrement à la charge en novembre 2007 : « Annonçant un plan de sauvetage du marché de l'art français, Christine Albanel a reconnu que "son recul était indéniable". Le constat du ministre de la Culture frise la litote[1]. »

Quant à la littérature, chaque saison apporte un nouvel opuscule désolant : *L'Adieu à la littérature* de William Marx (Minuit, 2005), *Contre saint Proust, ou la fin de la littérature* de Dominique Maingueneau (Belin, 2006), ou *La Littérature en péril* de Tzvetan Todorov (Flammarion, 2007), et encore Richard Millet, Alain Finkielkraut, Renaud Camus... Tous reprenant l'idée — à laquelle Donald

---

1. Alain Quemin, « Depuis les années 60, ce sont les Américains qui écrivent les pages de l'histoire de l'art », *Télérama*, 21 octobre 2007.

Morrison fait écho — que la théorie formaliste et nihiliste des années 1960 et 1970 aurait stérilisé le roman français, comme si la littérature n'était pas bien assez grande pour mourir toute seule et comme si la théorie, telle l'intendance, n'avait pas toujours suivi.

Ainsi nous avons une spécialité française de la déploration culturelle, de la lamentation sur notre déclin, car je ne vois rien de semblable ailleurs. Ça rappelle Chateaubriand, « Inutile Cassandre », suivant son cri à la Chambre des pairs le 7 août 1830, lorsqu'il refusa de prêter serment à Louis-Philippe. Et ça donne de beaux vers, comme ceux de Baudelaire dans le deuxième *Spleen* :

> *Un vieux sphinx ignoré du monde insoucieux,*
> *Oublié sur la carte, et dont l'humeur farouche*
> *Ne chante qu'aux rayons du soleil qui se couche.*

Nous cultivons depuis longtemps une tradition française des prophètes du désastre et des pleureuses de la culture. La défaite de la pensée est notre muse familière de la délectation morose. Nous nous lamentons sur la faillite de la haute culture, sur l'échec de la démocratisation des arts, sur la fin de l'humanisme, sur la ruine de l'école, sur l'envahissement par la culture de masse et l'industrie du divertissement. Aucun autre pays n'est à ce point fasciné par la déchéance de sa langue. Tous, y compris les pays de langue anglaise, semblent exposés à la même précarité culturelle nationale face à la domination de la nouvelle *lingua franca* véhiculaire inspirée de l'anglais, face à la puissance des industries culturelles mondiales, face aux revendications de différentialisme culturel et communautaire. Pourtant, on ne trouverait pas chez nos voisins européens ni chez nos amis américains toute cette poésie de la décadence.

Mais pas touche à mon pote ! Cette poésie a fait notre grandeur, elle a été notre monopole et elle doit le rester. Que ce chant du cygne soit notre dernier privilège ! Dans notre misère, nous revendiquons la grandeur de proclamer nous-mêmes notre fin ! Donald Morrison ne nous apprend rien que nous ne sachions pas, que d'innombrables articles, émissions, essais ne nous répètent sans relâche depuis près d'une trentaine d'années. Le procès de Mai 68 est lui-même un genre où s'exerce notre complaisance nationale. On peut tout dire entre nous, mais, comme avec les secrets de famille, dès qu'un étranger prétend nous faire la leçon, quand la prophétie du désastre vient du dehors et, qui plus est, de cette Amérique amie ennemie, perçue comme seule rivale dans l'ambition universaliste, alors la réaction chauvine ou même cocardière est vive. On se rassemble, on cherche à faire son pré carré dans une agitation obsidionale qui transforme tout sceptique en antifrançais.

Après tout, ne crachons pas dans la soupe, car cette réaction quasi unanime pourrait aussi avoir du bon, comme lors de la publication du premier classement de Shanghai des universités mondiales en 2003. Nous étions nombreux, de tous bords, à dénoncer depuis des années le piètre état des universités françaises, la pauvreté de leurs moyens et la médiocrité de leurs ambitions. Il a fallu cette divulgation étrangère de la déculottée nationale pour que l'opinion publique et la classe politique prennent enfin conscience qu'une réforme s'imposait d'urgence. Quand nous disions entre nous que le roi était nu, ça avait l'air d'une figure de style. On ne nous croyait pas et peut-être n'y croyions-nous pas nous-mêmes à fond, suivant la vieille doctrine de la double vérité : l'annonce du déclin français, quand on la colporte entre nous, relève en partie d'une pensée magique qui espère conjurer les effets de ce déclin en le montrant du doigt. Dans toutes les élégies pour la culture publiées en France chaque année, on hurle si fort et depuis si longtemps « Au feu ! » que, le jour où le feu prend vraiment dans la maison de la culture, personne ne veut plus entendre.

Mais le réquisitoire de Donald Morrison a peu de chances de produire le même effet que le classement de Shanghai. D'abord, si ce dernier a tant frappé, c'est qu'il maltraitait non seulement nos pauvres universités mais aussi les joyaux de la couronne, ces superbes grandes écoles qui ont sélectionné l'élite de nos décideurs. Ensuite, ce classement venait après le conseil européen de Lisbonne qui avait fixé en 2000 à l'Union européenne l'objectif de devenir « l'économie de la connaissance la plus compétitive et la plus dynamique du monde d'ici à 2010 ». Rien de tel pour la culture : l'Europe n'a pas pris la mesure de sa contribution à l'activité économique, et nos élites politiques et financières n'ont pas assimilé qu'elle était une condition de la réussite privée et publique. Après quelques semaines de danse rituelle, la fièvre est tombée. On s'en est pris au thermomètre plutôt que de prendre le mal au sérieux, et chacun est retourné à ses moutons. Si l'article de Donald Morrison avait été publié dans le *South China Morning Post* de Hong Kong, non dans un magazine américain, peut-être aurait-il eu plus d'effet à long terme.

3

Au risque de nous froisser, Donald Morrison nous remet fermement à notre place de puissance culturelle moyenne à l'échelle mondiale, en accord avec notre statut de puissance économique intermédiaire. Parlé par quelque 80 millions de locuteurs comme langue maternelle et par 128 millions de locuteurs comme langue seconde ou troisième, le français ne serait plus que la huitième, voire la douzième langue dans le monde[1], comme notre PIB nominal est le sixième de l'économie mondiale en volume, mais le dix-septième par habitant. Or nous avons longtemps prétendu que puissance économique et puissance culturelle n'allaient pas de conserve et que, en ce qui concernait la France du moins, l'éminence historique de sa culture avait un effet multiplicateur sur son influence internationale. *Quand l'Europe parlait français* (de Fallois, 2001), ainsi Marc Fumaroli décrivait-il fièrement le temps des Lumières en contrepoint de son ténébreux *État culturel*, et le français est resté la langue universelle de la diplomatie jusqu'au traité de Versailles. Encore langue officielle dans les organismes internationaux, il cède de plus en plus la place à l'anglais, non seulement à l'Onu et à l'OMC, mais également dans les instances européennes[2]. Sur Internet enfin, le français peine à maintenir sa présence, y compris sur les sites d'entreprises françaises dont l'État est actionnaire, comme Thalès ou Airbus.

Les Français semblent avoir longtemps cru que leur culture conserverait toutes ses prérogatives in-

---

1. *La Francophonie dans le monde, 2006-2007*, Nathan, 2007.
2. Voir Isabelle Vichniac, « Débâcle de la francophonie dans les instances onusiennes », *Le Monde*, 19 décembre 1998 ; et le dernier *Rapport d'activités, 2004-2006* de l'Organisation internationale de la francophonie.

ternationales malgré l'affaiblissement de leur pays et même de leur langue dans le monde. En 2007, l'automne musical a été largement français à New York, avec Natalie Dessay, Pierre Boulez et Pierre-Laurent Aimard. Et au printemps 2008, on pouvait aussi se féliciter que la saison muséale fût très française, avec deux expositions exceptionnelles au Metropolitan Museum, comme il en est rarement d'aussi frappantes dans le même musée, l'une sur Poussin et l'autre sur Courbet. Mais je ne suis pas très convaincu par ce genre d'arguments qui portent sur le patrimoine, non sur la culture dite vivante. Une troisième exposition du Metropolitan Museum, tout aussi remarquable, rassemblait les grisailles de Jasper Johns : on ne voit pas bien quel artiste français contemporain lui égaler.

Il y a quatre ans, le prix annuel de traduction décerné par la French-American Foundation (je fais partie du jury depuis douze ans) récompensa la traductrice de *Silbermann* de Jacques de Lacretelle, mince mais fort récit de 1922 sur la découverte de l'antisémitisme par un lycéen du tournant des siècles. Nous fîmes ce choix non pas faute d'autres traductions soigneuses, mais faute, parmi les traductions soumises au jury, d'œuvres contemporaines assez substantielles. Il y a deux ans, en 2006, nous avons couronné *Suite française* d'Irène Némirovsky : c'était aller vers le succès, puisque ce roman posthume avait reçu le prix Renaudot 2004, et que la disparition de l'écrivain à Auschwitz en 1942, puis l'aventure du manuscrit retrouvé après soixante ans, promettaient que le livre toucherait les lecteurs américains (il a figuré pendant 102 semaines sur la liste des meilleures ventes du *New York Times*). Ce n'est pas qu'il m'ait enthousiasmé, car son écriture est datée, mais sur les 7 à 800 nouveaux romans français en librairie chaque rentrée, moins d'une douzaine seront traduits aux États-Unis, la plupart par des maisons d'édition universitaires sans but lucratif, grâce à des subventions du Centre national du livre, des services culturels de l'ambassade de France, de la Florence Gould Foundation, et on se demande pourquoi ceux-là plutôt que d'autres. Quasi chaque année, nous nous retrouvons face au même dilemme, ayant à trancher entre une nouvelle traduction de Balzac, de Stendhal ou de Proust, et celle d'un roman contemporain inessentiel. Cette année 2008, *Ravel* de Jean Echenoz nous a heureusement tirés d'affaire : c'est son septième roman traduit en anglais et le troisième par la même maison ; il a un public fidèle à la rencontre duquel il est venu à plusieurs reprises.

Les autres arts ne s'exportent pas mieux, pas plus le cinéma, qui se défend dans l'Hexagone, que la musique ou la peinture. Bien sûr, Marion Cotillard a obtenu en 2008 l'Oscar de la meilleure actrice pour son interprétation du rôle d'Édith Piaf dans *La Môme*, seulement la deuxième actrice française après Simone Signoret à remporter une statuette à Hollywood dans cette catégorie, la deuxième comédienne après Sofia Loren à être sacrée pour une interprétation dans une langue autre que l'anglais, et la première à être couronnée pour un rôle en langue française. Il est vrai que sa réputation a été aussitôt écornée par la découverte de ses propos de février 2007 aux relents complotistes mettant en doute les circonstances des attentats du 11-Septembre. Puis, pour la première fois depuis 1987, la Palme d'or du festival de Cannes a été attribuée à un film français, *Entre les murs* de Laurent Cantet, docu-fiction très politiquement correct sur la diversité à l'école. Toujours au printemps 2008, Jean Nouvel a obtenu le prix Pritzker d'architecture, seulement le deuxième Français récompensé depuis que le prix a été créé en 1979.

Ces palmarès n'ont pas grand sens, mais la littérature et la pensée vivantes n'en ont pas à faire valoir, alors qu'elles s'exportaient bien jusqu'à une date récente. Sans remonter trop haut, depuis la génération des « classiques modernes » nés autour de 1870 — Gide, Valéry, Claudel et Proust, plus Péguy, Colette et quelques autres —, la création française a été continue. L'existentialisme, le nouveau roman, le structuralisme et le post-structuralisme ont suivi, souvent reconnus d'abord à l'étranger et notamment aux États-Unis, avant de revenir en France et de s'y imposer par ce détour. Une idée reçue voudrait que la théorie ait été la dernière avant-garde originaire du Vieux Monde, après quoi le Nouveau Monde aurait pris le relais, comme le marché de l'art s'était déplacé de Paris à New York à la faveur de la Seconde Guerre mondiale.

Certains font valoir que la littérature française n'est pas la seule à s'être retirée, et que les autres littératures européennes ne sont pas mieux loties sur le marché global, qu'elles traversent aussi une mauvaise passe. On se console comme on peut, et il n'est pas sûr que ce soit exact. Aucun roman français n'a connu depuis longtemps le succès, par exemple, d'un livre comme *Le Liseur* de Bernhard Schlink[1], sélectionné pour le « book club » d'Oprah Winfrey — l'animatrice du *talk-show* le plus influent aux États-Unis —, et premier roman allemand classé numéro un sur la liste des meilleures ventes du *New York Times*. Au même moment, l'œuvre de W. G. Sebald, notamment *Les Émigrants*[2] et *Austerlitz*[3], a été une révélation qui, en-

1. Bernhard Schlink, *Le Liseur*, trad. de l'allemand [*Der Vorleser*, Zurich, Diogenes, 1995] par Bernard Lortholary, Gallimard, 1996.
2. W. G. Sebald, *Les Émigrants*, trad. de l'allemand [*Die Ausgewanderten*, Francfort, Eichborn, 1993] par Patrick Charbonneau, Actes Sud, 1999.
3. W. G. Sebald, *Austerlitz*, trad. de l'allemand [*Austerlitz*, Munich, Hanser, 2001] par Patrick Charbonneau, Actes Sud, 2002.

core une fois, est passée par les États-Unis, avant d'être confirmée ailleurs et notamment en France.

Ce ne sont là que quelques exemples, et les succès commerciaux ne prouvent pas la valeur — comme Maurice Druon et Olivier Poivre d'Arvor n'ont pas manqué de le rappeler à un journaliste américain accusé de confondre art et argent —, mais ils suggèrent quand même que la panne française a quelque chose de singulier. Bien sûr, rien ne dit qu'elle durera. Elle peut être infirmée demain. *Le Scaphandre et le Papillon* (Robert Laffont, 1997), non pas un roman mais le récit de vie et de mort de Jean-Dominique Bauby qui, à la suite d'un accident vasculaire cérébral, ne pouvait plus mouvoir qu'une de ses paupières et qui communiquait ainsi avec le monde, a séduit en traduction américaine et vient d'être porté à l'écran par Julian Schnabel en 2007, avec Mathieu Amalric, dans une belle prouesse transatlantique.

Bref, l'emprise de la culture française à l'étranger est désormais conforme au poids géopolitique de la France dans le monde et à son commerce extérieur. La culture contribue même au déficit de notre balance commerciale, puisque, par un renversement historique de tendance, nous importons bien plus de produits culturels que nous n'en exportons[1]. Cette

1. *Échanges internationaux d'une sélection de biens et services culturels, 1994-2003 — Définir et évaluer le flux du commerce culturel mondial*, Institut de statistiques de l'Unesco, Montréal, 2005.

relégation en deuxième division ne concerne sans doute pas la seule France, mais elle nous frappe d'autant plus fort que le rééquilibrage des diverses cultures sur la scène mondiale a un résultat mécanique : tandis que l'influence culturelle de la France diminue, celle de certains de ses voisins européens, comme l'Italie et l'Espagne, devient plus évidente, et nous voyons se rétrécir comme peau de chagrin notre précellence culturelle.

En conséquence de la mondialisation, il semble qu'il n'y ait plus aujourd'hui d'effet multiplicateur international des cultures nationales. D'ailleurs, les cultures sont-elles encore nationales ? Louise Bourgeois, qui vit à New York depuis plus de soixante-dix ans, est-elle une artiste française ? Or il y a de plus en plus de Louise Bourgeois au monde, je veux dire d'artistes français expatriés, créant à New York, Londres, Berlin ou Tokyo, et s'en trouvant bien, mieux que s'ils étaient restés à Paris. Les mots « culture française », s'ils veulent encore dire quelque chose, n'ont plus le même sens que naguère. Mais la France, où, plus qu'ailleurs, culture et nation continuent de faire un dans les mentalités, est plus affectée que d'autres pays par la dissémination actuelle des cultures nationales dans le réseau mondial de toutes les cultures communautaires. Cette situation, encore une fois, n'a peut-être rien d'irréversible, mais elle est l'une des raisons d'un malaise qui nous affecte tout spécialement.

4

Donald Morrison, suivant une idée désormais bien établie, tend à expliquer la panne de la culture française contemporaine par son émargement au budget de l'État et sa transformation en service public. C'était la thèse de Marc Fumaroli dans *L'État culturel*, largement reprise depuis. La culture française péricliterait non pas en dépit, mais à cause d'un budget public disproportionné (3 milliards d'euros en 2007 pour le seul ministère de la Culture, soit des crédits décuplés en termes réels depuis 1959 ; 22 000 agents en 2007, c'est-à-dire l'équivalent de 30 % des emplois du ministère de la Justice ; une aide publique directe de 208 euros par habitant, contre 120 au Royaume-Uni et une poignée de dollars aux États-Unis). La France aurait une culture sous perfusion, largement subventionnée par l'État ainsi que par les régions et les municipalités, un « État-providence culturel », suivant l'expression de Dominique Schnapper[1], mais — cela expliquant ceci — sans échos hors de l'Hexagone. La culture d'État découragerait les initiatives privées, la compétition ou l'émulation in-

---

1. Dominique Schnapper, « De l'État-providence à la démocratie culturelle », *Commentaire*, 68, hiver 1994-1995.

169

dispensable sur le marché des idées et des talents. Ainsi les subsides publics permettraient à la création française de vivoter à l'intérieur sans avoir à affronter le marché mondial.

L'exemple le plus probant serait celui du cinéma français, qui, deuxième cinéma mondial après Hollywood, survit mieux que celui des autres pays de l'Union européenne. Mais les films français, à petit ou à gros budget, sont principalement conçus pour le marché intérieur et la télévision, et sur dix d'entre eux un seul obtient des recettes dignes de ce nom à l'exportation, même dans les pays francophones (moins de 50 % des films français sont encore exportables en Belgique, et moins de 25 % au Canada), résultat d'autant plus décevant que, en raison du rôle historique du festival de Cannes, les exportateurs français contrôlent 80 % du marché mondial des films d'auteur.

Le Club des 13 — un groupe autonome de cinéastes réuni autour de la réalisatrice Pascale Ferran — a rendu public en mars 2008 un rapport encore plus alarmant qui mettait en cause la politique suivie par le Centre national de la cinématographie et le ministère : baisse de la qualité, polarisation accrue entre gros et petits budgets, non-renouvellement des talents, marchandisation, système d'aides aux effets pervers[1]. Ainsi « la surabondance de la

1. Le Club des 13, *Le milieu n'est plus un pont mais une faille*, Stock, 2008.

production française et la médiocre qualité d'une large partie de celle-ci nuisent à la mise sur le marché des films français les plus performants à l'international. [...] Il y a vingt ans, un étranger allait voir un "French movie" parce que cela représentait, consciemment ou non, un acte culturel différenciant, ce n'est malheureusement plus le cas aujourd'hui. » Il y a bien entendu des exceptions, mais, pour un succès aux États-Unis comme celui de *La Môme*, engouement dû au mythe Piaf plus qu'au génie d'Olivier Dahan, globalement, la part du cinéma français à l'étranger baisse.

Typique d'une conception de la culture comme service public, le système de solidarité de toute la société à l'égard des intermittents du spectacle, même réformé depuis 2003, est unique au monde et déconcerte à l'étranger. Alors que les acteurs américains exercent en libéral et mettent du beurre dans les épinards, ou gagnent tout simplement leur vie, comme serveurs de restaurant — ils font des extra, ils « moonlight », comme on dit, mais de ces extra dépend souvent l'essentiel de leurs revenus —, leurs confrères français sont encore pris en charge par l'assurance chômage pendant 8 mois s'ils sont privés d'emploi après avoir travaillé 507 heures au cours des 10 mois précédents. Cela suffit à convaincre Donald Morrison et bien d'autres observateurs que ce sont les subventions, les avantages

acquis et les filets de sécurité qui entravent la création en France.

Piaf et Némirovsky, Poussin et Courbet, ou même
Boulez : on a de beaux restes, mais c'est la culture
vivante, la création artistique qu'on reproche au ministère français d'asphyxier par ses subsides. Si ce
raisonnement peut séduire les plus convaincus des
libéraux, au sens français de ce mot, il n'est pas sûr
qu'il soit irréfutable. D'abord, rien de plus compli-
qué que de chiffrer le budget consolidé de la culture
en France comme ailleurs en Europe. Et la difficulté
est encore plus grande aux États-Unis, où ce budget comprend non seulement le financement fédéral
ainsi que celui des États et des villes, mais où il repose pour l'essentiel sur la défiscalisation des activités non commerciales auxquelles sont assimilées
les entreprises culturelles sans but lucratif — ainsi
que les écoles et les universités —, ce qui leur permet à la fois de ne pas payer d'impôts et d'engran-
ger des dons bénéficiant eux-mêmes de déductions
fiscales. La culture est financée aux États-Unis par
un manque à gagner fiscal dont le montant ne
semble pas sensiblement inférieur à la dépense publique française de culture *per capita*, suivant Frédéric Martel dans son excellent *De la culture en
Amérique*.

Pourtant, même si les dépenses américaines de
culture s'apparentent par leur montant au budget

français, il y a quand même un avantage considérable : leur cheminement par la défiscalisation réduit à presque rien l'administration publique de la culture et épargne ainsi à la vie artistique américaine le formatage d'une politique culturelle nationale. On m'objectera sûrement que le Département d'État et la CIA ont fortement contribué à la promotion de l'expressionnisme abstrait en Europe dans les débuts de la guerre froide, comme Serge Guilbaut l'a montré dans une enquête sur le transfert du marché de l'art de Paris à New York après 1945[1]. Et les interventions maladroites du National Endowment for the Arts (NEA), malgré son budget dérisoire, ont été déterminantes dans le déclenchement et l'aggravation des « culture wars » de la fin des années 1980 aux États-Unis, à propos des photographies jugées pornographiques de Robert Mapplethorpe ou des montages sacrilèges d'Andres Serrano. D'autre part, si les États-Unis font l'économie d'une administration publique, et donc d'une politique culturelle d'État, cela revient quand même à transférer à d'autres intermédiaires culturels, principalement aux fondations, la charge de cette administration. Or ces fondations, qui se sont entourées de plus en plus de bureaucratie avec les années et la

1. Serge Guilbaut, *Comment New York vola l'idée d'art moderne — Expressionnisme abstrait, liberté et guerre froide*, Jacqueline Chambon, 1988.

complexité croissante du droit fiscal, sont aujourd'hui à peu près aussi lourdes que la fonction publique française.

Et les fondations privées américaines, depuis une trentaine d'années, ont mené une politique culturelle, voire une révolution culturelle, tout aussi déterminée par l'idéologie que le ministère français. En France, suivant une schématisation courante, les censeurs du « tout culturel » contemporain attribuent le passage de la démocratisation républicaine de la culture d'élite, suivant l'objectif de Malraux et des maisons de la culture, à la démocratie culturelle comme reconnaissance de l'égale légitimité des diverses cultures communautaires, au ministère de Jack Lang. Or l'ouvrage de Frédéric Martel sur la culture américaine nous rappelle opportunément — du point de vue du débat franco-français, c'est à mes yeux son plus grand mérite — que la substitution de l'idéologie de la diversité des cultures à celle de la démocratisation de la culture avait eu lieu aux États-Unis avant 1981, notamment à la fondation Ford qui avait entamé sa conversion dès la fin des années 1960. La présidence de Jimmy Carter (1977-1981) devait entériner cette évolution en promouvant les communautés — leur « empowerment », leur fierté, leur montée en puissance — comme instrument d'une autre politique de la ville, en rupture avec le programme démocrate d'intervention fédérale, du « New Deal » de Franklin Roosevelt à la

« Great Society » de Lyndon Johnson. Frédéric Martel établit — c'est en tout cas la conclusion que je tire de son analyse — qu'en 1981 la France, malgré Mai 68 et toutes les dérives de société qu'on lui impute à présent, était en retard sur la diversité culturelle dont les États-Unis encourageaient déjà l'expression par de tout autres moyens. Et les fondations privées les plus riches s'étaient mises à subventionner généreusement non plus la seule démocratisation des institutions de la haute culture — l'accès des couches sociales non héritières aux musées et bibliothèques, aux opéras et orchestres, au théâtre et à la danse —, mais aussi la pratique des cultures minoritaires, en particulier dans les quartiers noirs et les ghettos des grandes métropoles urbaines.

Bref, la politique culturelle de la France n'aurait fait après 1981 que rattraper notre retard sur les États-Unis dans le basculement vers la diversité culturelle et l'égale dignité des cultures. Jack Lang aurait accompagné un vaste mouvement de société, après qu'une file de ministres éphémères, de 1969 à 1981, sous les présidences de Georges Pompidou puis de Valéry Giscard d'Estaing, s'étaient contentés de gérer les affaires courantes. C'est dans les mêmes années 1970 et 1980 que l'Allemagne de l'Ouest, sans ministère fédéral de la Culture, avec un financement de la culture fondé sur le principe de la subsidiarité — les régions et l'État fédéral complètent les projets culturels financés par les communes —, a basculé elle aussi vers la reconnaissance des cultures communautaires et alternatives. D'abord dans les municipalités et les Landër dirigés par le SPD et les Verts, la « culture par le bas » a été promue par des programmes socioculturels et des centres culturels de proximité, puis, sous le chancelier chrétien-démocrate Helmut Kohl, la « socioculture » a été intégrée à la politique du gouvernement fédéral[1]. De fait, la convergence des politiques européennes de culture a été remarquable dans les années 1980, en France, en Allemagne et au Royaume-Uni, quelle que soit la couleur politique du gouvernement au pouvoir.

Doit-on en conclure que la révolution culturelle française des années 1980 n'a rien eu d'original ? Certainement pas, mais se focaliser sur la rupture entre Malraux et Lang permet de méconnaître le sentiment de culpabilité des élites — on ne parlait pas encore du « devoir de repentance » — ou d'échec de la démocratisation — panne de ce qu'on n'appelait pas encore l'« ascenseur social » — qui a partout transformé les politiques culturelles, pri-

---

1. Voir Pascale Laborier, « La *Soziokultur* en RFA. D'un enjeu politique à l'institutionnalisation d'une catégorie d'intervention publique », *in* Vincent Dubois (dir.), *Politiques locales et enjeux culturels — Les Clochers d'une querelle, XIXe-XXe siècles*, Comité d'histoire du ministère de la Culture/La Documentation française, 1998.

vées comme publiques, et imposé la diversité culturelle. En France, ce mot d'ordre s'est même imposé plus tardivement qu'ailleurs, seulement à la fin des années 1990.

Auparavant, on défendait l'« exception culturelle », résumée par Jacques Delors avant les négociations du Gatt en 1993 en une formule frappante : « La culture n'est pas une marchandise comme les autres. » La France, par l'intermédiaire de la Commission européenne, réussit alors à faire admettre ce principe pour préserver notre droit d'imposer des quotas contre l'« invasion » des programmes audiovisuels américains, ainsi que la possibilité de mener des politiques d'aides nationales et communautaires. Même si cette position n'était pas partagée en Europe, la Commission ne déposa pas d'offre de libéralisation du secteur des industries audiovisuelles. Mais rien n'était réglé, et lors des négociations de l'OMC, en 1999 à Seattle, la Commission substitua à l'« exception culturelle », d'allure trop défensive et protectionniste, le principe de la « diversité culturelle », afin d'opposer l'esprit de la libre concurrence à sa lettre, c'est-à-dire au monopole *de facto* d'Hollywood. La diversité culturelle, conforme au multiculturalisme des politiques identitaires, devenait la doctrine de l'Union européenne en matière de culture, et la France s'y plia, mais plutôt la dernière que la première.

Il est vrai que la diversité culturelle pourrait bien être la dernière ruse des industries américaines du divertissement pour perpétuer leur monopole global. Alors qu'ici la diversité culturelle introduite à la traîne des États-Unis et promue par Jack Lang — dont l'un des premiers gestes en 1981 fut de boycotter le Festival du cinéma américain de Deauville — s'est révélée défensive, outre-Atlantique la diversité culturelle est devenue un produit d'appel sur le marché international : c'est aux États-Unis qu'est produite une bonne partie de la musique latino diffusée en Amérique latine, y compris à Cuba, comme en Espagne et au Portugal, car le métissage, comme les publicités pour Benetton, fait vendre.

Cela pourrait donner raison à Bernard-Henri Lévy qui, dans une tribune donnée au *Guardian* de Londres, voyait avant tout dans le cri d'alarme de Donald Morrison à propos de la culture française le symptôme d'une angoisse des Américains relative à l'avenir de leur propre culture face au multiculturalisme et au métissage. Aussi leur renvoyait-il la balle : « La France comme métaphore de l'Amérique. L'hostilité antifrançaise comme forme déplacée d'une panique qui n'ose pas dire son nom[1]. » Jusqu'à présent, il semble que la vieille culture

1. Bernard-Henri Lévy, « American talk of the death of French culture says more about them than us », *The Guardian*, 8 décembre 2007.

résiste convenablement à la montée de la diversité culturelle aux États-Unis, qu'après les « culture wars » de la fin des années 1980 et les disputes sur le canon dans les universités — pour ou contre le remplacement des *Confessions* de saint Augustin en première année par *Moi, Rigoberta Menchu* —, il y ait place pour tout, y compris n'importe quoi, sur le marché culturel et académique américain. D'un côté le « business as usual » des humanités civiques et des « Trois Ténors », de l'autre le post-colonialisme et la globalisation à tout vent.

Mais, l'autre jour, j'emmenais à la Salle Pleyel pour un récital baroque deux amies tout juste débarquées de New York. Elles me faisaient observer — je n'y suis plus sensible à force d'aller et de venir — combien le public était plus jeune et plus varié, plus bariolé qu'à Carnegie Hall ou au New York Philharmonic. La culture européenne que la philanthropie américaine s'évertuait autrefois à démocratiser devient une culture de vieux. C'est encourageant, puisqu'il y a de plus en plus de vieux — ou de « seniors », suivant l'euphémisme en vogue —, mais c'est aussi inquiétant. Car rien n'assure que les « jeunes adultes » d'aujourd'hui, suivant une autre périphrase à la mode, financeront par leurs dons défiscalisés la culture européenne quand ils auront pris de la bouteille. Si ABC, CBS et NBC, les canaux historiques, ont des raisons de s'inquiéter pour leur avenir tant les modèles de consommation culturelle des jeunes Américains, tous accros d'Internet, se modifient, *a fortiori* le Met, le MoMA ou le festival de musique de chambre de Santa Fe.

5

Maurice Druon a répliqué au réquisitoire de Donald Morrison dans *Le Figaro* en dénonçant la confusion typiquement américaine de la culture et du divertissement : « La culture n'est pas déterminée par le box-office de la semaine. La culture s'exerce dans la durée. Sartre et Malraux sont encore nos contemporains. » Maurice Druon était dans son rôle d'ancien ministre des Affaires culturelles de Pompidou et d'ancien secrétaire perpétuel de l'Académie française, défendant la France comme « terre de la culture, depuis des siècles et, espérons-le, pour des siècles encore ». *Le Figaro* a joint à sa tribune un tableau des derniers succès français dans le monde : peinture, pensée, cinéma et architecture, mais peu de littérature et beaucoup de théâtre équestre.

Dans sa « Lettre à nos amis américains », le directeur de Culturesfrance, Olivier Poivre d'Arvor, a riposté en défendant les mesures protectrices — quotas pour la chanson, etc. —, en justifiant la nouvelle doctrine officielle de la diversité culturelle, bref, en certifiant la bonne santé de la culture française et la vigueur de sa réception à l'étranger. Puis il a diffusé en cent mille exemplaires deux plaquettes bilingues (français-anglais et français-espagnol) imitant la couverture de *Time* et recensant trois cents « créateurs français » dont les « talents dépassent les frontières » : Brigitte Bardot, Yannick Noah, Vanessa Paradis ou Joël Robuchon... Il était lui aussi dans son rôle de patron de l'opérateur — héritier depuis 2006 des anciennes Association française d'action artistique (AFAA) et Association pour la diffusion de la pensée française (ADPF) — auquel le ministère des Affaires étrangères et le ministère de la Culture délèguent leurs échanges culturels internationaux. L'association Culturesfrance, qui agit pour le compte de l'État, est peu indépendante de celui-ci puisqu'elle lui doit plus de 80 % de son budget de 29 millions d'euros (en 2007) et qu'elle peine à accroître la part de ses autres ressources, en particulier le mécénat (moins de 5 %). Par les voix de Maurice Druon et d'Olivier Poivre d'Arvor, la France s'exprimait officieusement sinon officiellement.

Or, dans le palmarès de la culture française dressé par le directeur de Culturesfrance, se mêlent, un peu comme dans le tableau du *Figaro*, le haut et le bas, la culture d'élite et le divertissement, l'art et le commerce de luxe, ou la poésie et la gastronomie. C'est de bonne guerre, mais sans doute aussi le signe d'une certaine confusion des genres et des rôles. Culturesfrance, pas plus que le ministère des Affaires étrangères qui lui fixe ses objectifs et ses moyens, ne semble avoir un sens clair de sa mission et ne sait plus où donner de la tête pour promouvoir la culture française à l'étranger.

Les actions de Culturesfrance sont très dissemblables et fort hétérogènes, sans que les priorités apparaissent : interventions culturelles à l'étranger, mais aussi accueil en France des artistes étrangers, et notamment promotion des cultures de nos anciennes colonies ; diffusion des arts et de la culture française dans la plupart des domaines et dans au moins quatre-vingts pays chaque année, mais aussi actions en faveur de la reconnaissance internationale de la création contemporaine des régions et pays défavorisés, dont le soutien aux grandes manifestations africaines de création contemporaine. Malgré l'affichage de ces bonnes intentions, les interventions sont d'ailleurs fortement concentrées en Europe et en Amérique du Nord, pour plus de la moitié de leur montant, sans que cette répartition soit clairement assumée. L'opérateur finance des tournées d'artistes de variétés aux États-Unis et au Canada, ou des galeries d'art parisiennes qui participent aux grandes foires internationales de Bâle, Cologne, Chicago ou New York, même si elles n'y exposent qu'une minorité d'artistes français. À la lecture du bilan d'une année de Culturesfrance dans le monde — les Talents lyriques (musique baroque) au Paraguay, *Les Fourberies de Scapin* (Comédie-Française) en Europe centrale, l'Accrorap (hip-hop) à Panama, les Plasticiens volants (arts de la rue) aux Philippines... —, il est difficile de résister à l'impression de l'éparpillement des actions et du saupoudrage des moyens, en dépit des buts ambitieux annoncés dans les statuts. De fait, la programmation semble arbitrer entre les demandes émanant des quelque cent cinquante services culturels français à l'étranger plutôt qu'elle ne met en œuvre ses propres orientations stratégiques.

Depuis une trentaine d'années que j'assiste, de New York, à l'activité culturelle de la France à l'étranger, ce sont ses variations, incertitudes et incohérences qui me frappent surtout. On hésite sur le type d'actions à soutenir, on change de cap plus souvent que de gouvernement, et les priorités sont constamment modifiées sans évaluation préalable des méthodes abandonnées. Aux actions à long terme, patientes et souterraines, mais moins visibles et trop discrètes, on tend à préférer les feux d'artifice médiatiques, brillants mais coûteux, qui permettront de rassembler un splendide dossier de la presse locale et de l'adresser en fanfare à Paris pour se justifier. Mais qu'en restera-t-il demain, une fois les lampions éteints ? On réunit à grands frais une brochette de romanciers pour une table ronde face à un public étique, mais leurs livres ne seront pas traduits davantage, ou, si certains le sont, ce seront ceux des auteurs qui avaient déjà été traduits par le passé sans l'aide de l'ambassade. On répétera cet événement en octobre 2008, avec le premier « Festival French Fiction à New York », qui, outre qu'il décernera un prix littéraire à l'un des quelque sept cents romans français publiés pour la rentrée, accueillera une douzaine d'écrivains — dont Pascal Quignard, Michel Houellebecq, Yasmina Reza, Marie NDiaye, Julia Kristeva, Édouard Glissant, Maryse Condé, Assia Djebar, Jean Echenoz, Alain Mabanckou —, tous déjà traduits, habitués des invitations dans les universités américaines, connus comme le loup blanc dans les instituts français, et dont pas un n'a besoin d'une intervention publique pour voyager. On aide des galeries qui exposent des artistes français, mais elles privilégient ceux qui faisaient déjà partie de leur catalogue, car aucune subvention ne pourra jamais modifier les lois d'un marché qui a sa propre rationalité.

Avec la montée en puissance du ministère de la Culture, le culturel a pris le pas sur l'éducatif dans l'action extérieure de la France. Parmi les conseillers et attachés culturels ainsi que les personnels détachés dans les instituts français, les professeurs ont cédé le terrain aux animateurs. Le réseau universitaire de haut niveau que la Troisième République avait créé et qui touchait des milliers d'étudiants, avec des chaires à Oxford, Cambridge et Manchester, Istanbul et Beyrouth, Jérusalem, Le Caire et Alexandrie, Athènes et

Thessalonique, São Paulo, et naturellement dans le Maghreb ainsi qu'en Afrique subsaharienne (Dakar, Abidjan, Cotonou, Yaoundé...), etc., a été démantelé, quitte à reconstituer, comme en Égypte, des universités françaises ou francophones ruineuses et qui ne marchent pas. Certes, on n'en est plus au temps des « missionnaires », comme le Quai d'Orsay continue d'appeler les représentants de la culture française qu'il envoie à l'étranger, et, dans nos anciennes colonies, on préfère souvent avoir affaire à des coopérants belges ou canadiens. Pourtant l'Agence universitaire de la francophonie, regroupant plusieurs centaines d'universités dans plus de soixante-dix pays et financée à plus de 80 % par la France, peine à prendre le relais pour maintenir le français dans le monde.

Telle ou telle riche bibliothèque d'Institut français a été dispersée pour céder les lieux à une médiathèque *cum* cafétéria. En cours d'année, quand l'administration centrale gèle des crédits sur les ordres du ministère du Budget, les services commencent par couper dans les bourses d'études en France, parce que c'est ce qu'il y a de plus fongible. Or, vingt ou trente ans après, les anciens boursiers du gouvernement français se révèlent les meilleurs ambassadeurs de la culture française dans le monde, au Caire ou à Jérusalem, à Kyoto ou à Buenos Aires. Les Affaires étrangères ne disposant pas d'un annuaire de leurs anciens boursiers, il n'est pas possible de faire appel à ces « alumni » de la France, de les mobiliser pour la défense de la culture française, peut-être même de pétitionner leurs dons. Au hasard de mes voyages, j'ai pourtant rencontré tant de ces anciens boursiers — un Zeev Sternhell, un Yoshio Abe, un Ibrahim Rugova —, devenus de grands professeurs de littérature, d'histoire ou de science politique, ou des diplomates et des hommes politiques, qui éprouvent une vive dette à l'égard de la France et qui l'honoreraient avec reconnaissance s'ils étaient sollicités.

Universitaire par tempérament, je tends à penser que les actions les plus profitables des services culturels français sont les plus patientes, car elles visent le long terme, non l'assemblage d'un « press-book », à commencer par le soutien donné à l'enseignement de la langue française dès l'école secondaire ou même primaire. C'est là que réside l'avenir de la culture française pour l'essentiel. Mais aucun missionnaire ne tirera gloire d'avoir obtenu un instituteur de plus dans une petite école bilingue, comparé à ce que rapportent de gratification immédiate l'organisation et la médiatisation d'un festival de danse.

En vérité, la France ne sait plus comment promouvoir sa langue et sa culture dans le monde, et on tâtonne. La villa Médicis a fait dernièrement l'actualité en raison de la nomination controversée de son directeur (le directeur de Culturesfrance a aussi été mêlé à cette polémique, avant qu'un animateur de haut vol ne décroche le pompon). Établissement à la mission ambiguë, traditionnellement académie d'artistes français en résidence à Rome — plasticiens et musiciens, plus récemment écrivains —, mais désormais aussi institut culturel destiné au public italien, elle ne remplit ni l'une ni l'autre de ses fonctions de façon satisfaisante : les artistes recevraient probablement une meilleure initiation aux arts contemporains ailleurs qu'à Rome, ou dans une « villa Médicis hors les murs » — comme il en existe également une, gérée par Culturesfrance —, et les Italiens fréquenteraient sans doute davantage un Institut français à part entière. Comme le relevait en 2001 un rapport parlementaire dû au sénateur (UMP) de l'Aube, Yann Gaillard, l'Académie de France à Rome, qui « n'a plus de tradition à transmettre », « groupe des lauréats sans aucun centre d'intérêt commun » et « invite, aux frais de la République, des artistes — au sens le plus large du terme — dans une capitale qui n'est plus, et depuis longtemps, un centre important de création ». (Imaginez le barouf dans le microcosme si un sénateur italien avait eu le culot d'enterrer Paris avec cette désinvolture.) Bref, « la villa Médicis, contenant superbe, a-t-elle encore un contenu[1] » ?

Si elle n'existait pas, la créerait-on aujourd'hui ?

1. *Rapport d'information fait [...] à la suite d'une mission de contrôle effectuée à l'Académie de France à Rome*, Sénat, n° 274, 18 avril 2001.

Si Colbert ne l'avait pas fondée et si Napoléon ne l'avait pas réinstallée, hésiterait-on moins à la réformer, voire à la supprimer ? Le sénateur (UMP) de la Haute-Loire Adrien Gouteyron posait ces questions raisonnables au plus fort du débat sur la direction de la villa[1]. Mais il existe tant de ces vénérables institutions françaises qui ne résisteraient pas à la même épreuve de vérité : nos grandes écoles, nos corps de l'État, et pourquoi pas l'Institut lui-même, nos cinq académies et leurs académiciens. Il est vrai qu'en France on n'a pas l'habitude de supprimer quoi que ce soit. On invente de nouvelles institutions plutôt que d'adapter les anciennes ou de les supprimer, par exemple les nombreux avatars de l'Université tels que Collège de France, École pratique, CNRS, IUF, PRES, RTRA, et autres acronymes, chacun créé pour remédier aux carences du précédent au lieu de le réformer. Vus du dehors, ces coûteux empilements surprennent. Mais ils ont aussi du bon : une culture est faite de traditions, et la France, pays des révolutions périodiques, n'en a pas conservé beaucoup. Faut-il vraiment se débarrasser des quelques idiosyncrasies qui nous restent pour faire plus européen et avoir l'air global ?

Il reste qu'on aimerait être sûr que le budget de la politique culturelle extérieure de la France est dé-

1. Adrien Gouteyron, « À quoi sert la villa Médicis ? », *Le Monde*, 4 avril 2008.

pensé de la meilleure manière qui soit, la plus efficace à long terme. Tel Bureau du livre de création récente — rien à voir avec Richelieu, Napoléon et Rome — suscite-t-il assez de traductions d'ouvrages français pour justifier qu'on le reconduise année après année ? Ne se survit-il pas parce que le ministère de la Culture lui fournit la plupart de son budget, qu'il ne coûte pas cher à chacun des éditeurs qui se cotisent pour le reste, et qu'il échappe ainsi à toute logique comptable ? Un récent audit mené sur l'action d'Unifrance, l'association subventionnée par les ministères des Affaires étrangères et de la Culture pour promouvoir les films français à l'étranger, a dénoncé l'éparpillement de son action et avoué de la perplexité quant à son efficacité réelle en raison d'un « déficit dans la fixation des objectifs, critères et indicateurs d'évaluation[1] ».

Il est difficile de se faire une idée précise du budget total que la France consacre à son action culturelle extérieure. Suivant un tout récent rapport du sénateur Gouteyron, nous avons dépensé plus d'un milliard d'euros en 2007 pour la promotion de notre culture à l'étranger, dont 35 % pour « le plus grand réseau culturel du monde » et 21 % pour l'audiovisuel extérieur[2]. Les Affaires étrangères sont le

---

1. Nicole Vulser, « Un rapport critique le choix des films français promus à l'étranger par Unifrance », *Le Monde*, 16-17 mars 2008.

2. *Rapport d'information [...] fait au nom de la commission*

bailleur de fonds principal, mais la Culture, l'Éducation nationale et l'Enseignement supérieur inter-
viennent également, sans compter la Coopération et
la Francophonie. Le sénateur Gouteyron recom-
mande « la fin du monopole du Quai d'Orsay », car
il est « moins acteur que spectateur » et la « valeur
ajoutée » de son réseau culturel « est mal évaluée ».
La Révision générale des politiques publiques
(RGPP), cette remise à plat des politiques publiques
destinée à élaborer des scénarios de réformes pour
une administration plus efficace et plus économe,
qui, sous la houlette du ministre du Budget, fait
trembler presque tous les fonctionnaires, devrait
procéder à cette évaluation. D'une part, elle propose
le « regroupement de l'ensemble des dimensions de
l'influence intellectuelle à l'étranger au sein de trois
opérateurs : l'Agence pour l'enseignement du français à l'étranger, Culturesfrance, et un nouvel
opérateur chargé de la mobilité internationale ».
D'autre part, elle suggère la « fusion sous un label
unique sur le terrain des services de coopération
culturelle et des centres culturels au sein d'un seul
établissement, disposant d'une grande autonomie
financière[1] ». Il en résultera une responsabilité

---

des finances, n° 428, 30 juin 2008. Voir Valérie Sasportas, « Le
rayonnement de la France en questions », *Le Figaro*, 10 juillet
2008.

1. *La Révision générale des politiques publiques*, Conseil de
la modernisation des politiques publiques, 4 avril 2008.

comptable accrue aussi bien des opérateurs nationaux que des établissements locaux. Mais la RGPP procède plus aisément ministère par ministère, et les activités transversales et interministérielles sont encore plus difficiles à optimiser que les autres.

On souhaiterait aussi disposer d'une évaluation comparée des actions culturelles extérieures de la France et de quelques-uns de ses voisins, par exemple le Royaume-Uni ou l'Allemagne. Avec le Goethe-Institut — dont le périmètre a lui aussi été réduit à 140 antennes dans 81 pays, avec un budget d'environ 200 millions d'euros provenant aux trois quarts du ministère des Affaires étrangères — et le DAAD (Office allemand d'échanges universitaires), qui promeut les échanges d'étudiants, d'enseignants et de chercheurs, l'Allemagne, qui a dépensé 680 millions d'euros en 2007 pour son action culturelle extérieure, semble avoir réussi à contenir ses coûts de fonctionnement pour accroître ses budgets d'interventions. Celles-ci restent plus traditionnelles ou académiques, moins ambitieuses et médiatiques, que celles de la France : elles touchent à la langue, aux arts, à la société, mais aussi aux savoirs, notamment aux sciences et techniques, et les bibliothèques portent toujours ce nom.

La France, elle, dispose historiquement de deux réseaux parallèles, celui des Alliances françaises, près de cinq cents autour du globe, avec 40 millions d'euros du ministère en plus de leurs ressources propres, et les quelque cent cinquante Instituts français, qui coûtent 100 millions d'euros[1]. Mais ces chiffres eux-mêmes sont-ils fiables[2] ? On n'est jamais sûr de ce qu'ils laissent de côté, par exemple si les personnels expatriés ou mis à disposition sont comptabilisés. La RGPP envisage — ancien serpent de mer — la fusion des Alliances française franchisées et des Instituts français. Pourquoi pas ? À condition que ce ne soit pas l'occasion d'un désengagement du ministère des Affaires étrangères, mais d'une optimisation de sa mission culturelle, d'une réduction des frais de structure et d'un rééquilibrage de ses pays d'implantation.

6

Au fond, si Donald Morrison nous froisse, c'est qu'il nous rappelle à la réalité de l'isolement croissant des arts français sur la scène mondiale. Certains domaines restent au premier plan, comme

1. Voir Patrick Fauconnier, « L'étonnant miracle de l'Alliance française », *Le Nouvel Observateur*, 3 avril 2008.
2. Suivant le rapport de juin 2008 du sénateur Gouteyron, les 375 millions d'euros que coûte le réseau culturel français à l'étranger (144 centres culturels en 2008, contre 173 en 1996, 220 Alliances françaises dirigées par un agent expatrié, 255 autres Alliances) sont à comparer au budget de l'Institut Cervantès (89 millions), du Goethe-Institut (180 millions) et du British Council (230 millions).

l'architecture ou la muséographie — les projets du Louvre à Atlanta et à Abu Dhabi le prouvent, ainsi que les polémiques qu'ils ont provoquées —, tandis que d'autres se laissent distancer, comme la littérature ou les arts plastiques. Je le redis : malgré certaines lacunes et quelques excès, ce constat me semble indéniable, et le réflexe cocardier ou anti-américain n'y changera rien. Il vaut donc mieux l'accepter, chercher à l'expliquer, tenter d'y remédier.

Pour la vie intellectuelle et le mouvement des idées, mon propre bilan serait moins inquiet. Certes, on peut observer une relative solitude de la pensée française sur le marché global des idées et des talents, mais notre étalon de mesure est un état insolite, qui a duré des années, d'engouement souvent affecté et sans doute exagéré pour une pensée française identifiée à la Terreur. Il n'est que de rappeler que ce n'était pas dans les départements de philosophie que les philosophes français à la mode ont été longtemps lus sur les campus américains, puis dans l'« academia » globale. Aujourd'hui, les philosophes français traduits en anglais ne jouissent pas du même retentissement et ne font plus la couverture du *New York Times Magazine*, mais rien ne dit que leur influence, plus rare, plus insidieuse, ne soit pas en définitive plus profonde ni durable. Au demeurant, la distance par rapport à un marché global des idées et des talents, de plus en plus calqué sur le marché du sport ou du show-biz, n'a peut-être pas que des inconvénients.

La France est sous-représentée dans le réseau international des « Society of Fellows », « Institute of Advanced Study », « Wissenschaftskolleg », « Institut universitaire européen », « Bellagio Study and Conference Center », et autres établissements luxueux et désirables entre lesquels virevolte une jet-set académique globale de congés sabbatiques en longues vacances d'été. Une raison tient sans doute au fait que toute cette vie mi-intellectuelle mi-touristique se déroule massivement en anglais, et les universitaires français ont moins volontiers basculé à l'anglais que leurs collègues du Nord comme du Sud et même que tous leurs voisins européens. La fidélité à la langue française, qui a du bon, est aussi un frein à l'intégration dans l'internationale académique. Et puis — c'est bien connu —, l'extrême singularité du système universitaire français, très opaque vu d'ailleurs, quasi incompréhensible pour les non-initiés, décourage nos partenaires. Malgré des efforts récents, comme les « Chaires Blaise-Pascal » financées par la région Île-de-France et la fondation de l'École normale supérieure pour inviter d'éminents savants étrangers, la France abrite peu d'institutions de ce genre, lesquelles renforcent les réseaux et communautés scientifiques : elle est donc trop hors jeu. Espérons que la réforme des universités rendra possible l'interaction de toutes les disciplines, que la création de fondations permettra aux universités de lever des fonds pour diversifier leurs activités et s'ouvrir sur le monde, que la naissance de plusieurs Instituts d'études avancées, à Paris, à Lyon, facilitera l'invitation de scientifiques étrangers, et que les universités françaises seront bientôt mieux insérées dans le réseau mondial.

Il restera à changer les mentalités, à faire, par exemple, qu'un universitaire qui revient de l'étranger, ou même qui a pris un congé sabbatique, ne soit pas pénalisé à son retour, bizuté comme un bleu. Car c'est l'une des raisons pour lesquelles, même si peu de congés sabbatiques sont offerts, les candidats ne se pressent pas pour les obtenir : après un semestre d'absence, ils risquent de perdre tous leurs avantages acquis, leurs privilèges chèrement gagnés, et la France est encore par trop de côtés un régime de privilèges, non de droits et de devoirs.

Mais prendre un peu de recul par rapport au marché des idées et des talents pourrait bien n'être pas mauvais. Nous ne sommes plus des leaders d'idées. Nous comptons peu d'intellectuels globaux, car nous avons mal pris le tournant du post-colonialisme. Pour un Alain Badiou — le dernier des Maocans, le plus dogmatique des philosophes français, au demeurant policé — qui a tardivement percé sur le grand théâtre capitaliste des idées, combien de Slavoj Žižek, Gayatri Chakravorty Spivak et Homi Bhabha, formés à la pensée française, qui ont sucé

Lacan, Foucault ou Derrida au biberon, mais qui les ont dépassés, relevés, surmontés depuis longtemps ?

Entre la génération des maîtres à penser français et celle des intellectuels globaux de ce jour, quelqu'un comme Edward Said a joué un rôle déterminant. Lui aussi longtemps très sensible à la culture française, il s'en était détourné ou même dégoûté après qu'elle l'eut déçu. Presque chaque fois que nous avions une conversation — nous avons été longtemps quasi voisins de bureau à Columbia, où il n'avait pas été pour rien dans ma venue —, il revenait avec de plus en plus d'amertume sur le mauvais accueil que la France réservait à son œuvre : son *Orientalisme* (Seuil, 1978), largement consacré à l'érudition française des XIXe et XXe siècles, avait été assez froidement reçu à Paris, et celui de ses livres auquel il tenait le plus ensuite, *Culture et Impérialisme* (Fayard, 2000), le Seuil n'en voulait pas (la traduction ne parut que sept ans après l'édition américaine, grâce au *Monde diplomatique*, ce qui le classait). Said restait dépité : pourquoi la France l'ignorait-elle alors que son œuvre était traduite dans le monde entier ? Pourquoi était-il accueilli à bras ouverts dans toutes les capitales, sauf à Paris ? La France est provinciale, lui répondais-je, ce que je pense en effet. Mais Said se souciait encore de sa réception française, et même trop à mon goût. À la génération suivante, on a passé Paris par pertes et profits.

Il y a un provincialisme de la vie intellectuelle parisienne cantonnée entre le Quartier latin et Saint-Germain-des-Prés, et qui découvre presque toujours la pensée étrangère avec retard. Ce retard donne parfois de l'avance, comme lorsqu'on a eu la révélation de Saussure deux générations au moins après que les linguistes l'avaient assimilé — et enterré —, et qu'on a fait de lui le prophète du tournant structuraliste grâce auquel on a pris le monde de revers. Mais, le plus souvent, de tels délais conduisent à réinventer la roue.

Apprécions pourtant le pour et le contre. Les intellectuels globaux sont devenus des stars, des « free agents » comme on dit dans le sport professionnel américain, des joueurs dont les contrats, qui ne sont plus assortis de clauses d'exclusivité, atteignent des montants pharamineux. Le marché des talents a aussi ses effets pervers. C'est une Bourse aux idées qui, comme l'autre, subit des effets de mode et suscite des bulles, lesquelles éclatent aussi. Chaque système a ses démons, et j'ai assez bougé pour n'en idéaliser aucun. Le démon du marché affecte les organisations censément non commerciales, à but non lucratif, que sont aux États-Unis les musées, les orchestres et les universités, lesquelles ressemblent parfois par leurs méthodes de marketing aux entreprises commerciales les plus déterminées par la recherche du profit. Mais si le démon de la vie culturelle et intellectuelle américaine est le marché, en France, c'est l'État, avec ses concours, ses subsides et ses privilèges. Il en résulte une forte rigidité de l'offre et une grande difficulté à s'adapter à la demande et aux besoins. La décentralisation de l'État culturel n'arrange rien, car elle multiplie les intermédiaires et les mêmes mécanismes peu transparents de la prise de décision. Le système français favorise un localisme provincial et un provincialisme parisien, des deux côtés le clientélisme.

Nous sommes encore, malgré Bruxelles et la mondialisation, dans une économie planifiée de la culture, avec sa « nomenklatura ». Il s'agit maintenant de mieux placer le curseur entre notre vieux démon d'ancien régime et le démon du marché, lequel nous guette lui aussi sous la forme de l'audimat. Nicolas Sarkozy, dans sa lettre de mission, demandait à la ministre de la Culture de « veiller à ce que les aides publiques à la création favorisent une offre répondant aux attentes du public ». Il la priait d'exiger de « chaque structure subventionnée qu'elle rende compte de son action et de la popularité de ses interventions », de leur fixer des « obligations de résultat » et d'empêcher la « reconduction automatique des aides et des subventions ». Avant de conclure en lui recommandant que « chaque euro dépensé soit un euro utile ». « Popularité », « utilité » : certes, ces références auraient inquiété Malraux, mais, depuis Lang, les « attentes du public » n'ont pas été ignorées des animateurs de fêtes culturelles. Attention toutefois aux effets pervers des « indicateurs de performance », par exemple quand on compte évaluer la ministre de la Culture sur les entrées du film français au cours de la saison même où le triomphe de *Bienvenue chez les Ch'tis*, vu à ce jour — début juillet 2008 — par plus de 20,2 millions de spectateurs, nous rappelle opportunément la vraie nature de ce qu'on appelle un bon film français.

Dans une économie planifiée, pour passer à l'étape de la « glasnost » et de la « perestroïka », il semble bon de se mettre à évaluer les politiques culturelles à leurs résultats démocratiques. Mais il y a de quoi s'inquiéter quand le livre et la lecture disparaissent du nouvel organigramme du ministère de la Culture dicté par la RGPP, et que la direction qui veillait sur eux, illustrée par quelques grands serviteurs de la culture comme Jean Gattégno, se dissout dans une vaste « direction générale du développement des médias et de l'économie culturelle ». Le livre, le film, toute la culture, plongés dans l'audiovisuel, risquent demain de n'être plus perçus que comme « industries culturelles » et « marché de l'art ». Donald Morrison aurait eu raison juste un peu trop tôt.

7

Le roi est nu et le réveil est dur : nous ne serions donc plus lus, plus vus, plus entendus hors les murs de notre village gaulois assiégé, sauf un épisodique Badiou, vieux gourou prenant son essor sur le tard, ou une Marion Cotillard, implosant après le décollage à cause de son adhésion à la théorie du complot. Si le tableau est excessif et donc injuste, gardons-nous pourtant d'en prendre prétexte pour ignorer ce qu'il peut avoir de fidèle.

Comme les règles du journalisme américain exigent toujours de « positiver » — rien ne vaut une « happy ending », même dans un reportage-vérité —, Donald Morrison nous remet quand même du baume au cœur avant de conclure. La créativité française pourrait se régénérer à condition de renoncer à l'universalisme qui définit la République depuis 1789, de reconnaître les communautés qui l'habitent, de promouvoir la diversité, la parité et la dignité, et de se définir résolument comme une nation « black, blanc, beur ».

En ayant à peu près fini avec le colonialisme — malgré notre démon national qui nous a tentés récemment d'en vanter les bienfaits, avec la loi du 23 février 2005, abrogée ensuite —, la France est devenue un « bazar multiethnique de l'art, de la musique et de la littérature en provenance de ses banlieues ou des recoins les plus éloignés du tiers-monde », ce qui en ferait un paradis pour les amateurs des cultures étrangères. Que la culture française cesse donc de pleurnicher sur sa décadence pour se ressourcer dans ses marges, qu'elle s'ouvre sans état d'âme à la mondialisation, telle est la recommandation de Donald Morrison. Adoptons la recette multiculturelle, « Happy together », et nous serons sauvés.

D'ailleurs nous n'avons pas attendu cette prescription pour nous lancer dans la culture métisse, seule manière d'exister aujourd'hui. Voyez la Palme d'or de Cannes décernée par un jury expressément politique à *Entre les murs* de Laurent Cantet qui, sentant le vent, a mis en scène une classe multiethnique et un pédagogue libérateur. Mais attention quand même ! Comme métropole diasporique postmoderne, comme capitale-monde du XXIe siècle, Paris ne rivalisera jamais avec New York, pas plus qu'à la Bourse ou dans les ventes publiques.

La sortie du déclin passerait-elle par la refondation de l'école, la renaissance de la lecture, l'introduction d'un enseignement artistique dès le primaire, la concurrence des universités, ou la libéralisation des affaires culturelles, intérieures et extérieures ? Nombreux sont les critiques du ministère de la Culture — de Marc Fumaroli à Nathalie Heinich et Antoine de Baecque — qui réclament aujourd'hui le retour à une politique volontariste de démocratisation de la culture et une forte implication de l'école vers cet objectif. Afin de promouvoir l'enseignement artistique à l'école, la fusion des ministères de la Culture et de l'Éducation nationale a même été évoquée lors de la constitution du premier gouvernement de François Fillon, suscitant l'inquiétude des intermédiaires culturels et de tous les clients de la rue de Valois.

Ou bien faudrait-il que les romanciers renoncent à l'autofiction et au minimalisme pour renouer avec le monde réel dans son horreur et sa générosité, dans sa complexité et son effervescence ? Faudrait-il que les films français cessent de raconter des petites histoires de bobos en mal d'amour ?

Un peu de tout cela, assurément. Comme on parle du cycle de Kondratieff en économie, il doit bien y avoir des cycles de l'activité culturelle : faisons le pari que nous en sommes à la période de purge qui prépare la nouvelle croissance et que le grand roman de la France contemporaine est sous presse, le nouveau *Voyage au bout de la nuit*.

Car nous conservons d'immenses atouts, en particulier aux États-Unis, et, curieusement, Donald Morrison n'en souffle pas mot. C'est la détestation de la France qui la sauve en Amérique, et nous pouvons de ce point de vue nous rassurer : nous continuons de tout faire pour irriter. La France est la nation qui exaspère, celle que les autres nations ne se lassent pas de vitupérer, celle qui survit grâce à l'aversion qu'elles ont pour ses ignominies. Au fond, ce qu'on aime en la France, ce sont les raisons de faire honte à cette donneuse de leçons. La culture française est celle qu'on adore maudire, et nous traînons derrière nous tellement de casseroles, nous avons tant de cadavres dans le placard, qu'on n'est pas près de nous oublier.

J'écris cette phrase en revenant de l'exposition du photographe collaborationniste André Zucca, « Les Parisiens sous l'Occupation », à la Bibliothèque historique de la ville de Paris, exposition en effet honteuse. Comme prévu, l'*International Herald Tribune* lui a consacré un article de une, plus long et complet que tous ceux de la presse française[1]. « Ah ! Ces Français, ils n'en ratent pas une. Toujours vichyssois, toujours pétainistes. Ils étalent en 2008 les splendides photos en couleurs du photographe attitré de *Signal*, magazine de propagande nazi, comme si c'était la Belle Époque et la douceur de vivre ! Une ou deux étoiles jaunes passent çà et là : ça fait une jolie touche de couleur rimant avec un bock de bière et une grappe de cerises. »

Ce qui nous sauve en Amérique, ce qui fait qu'on parlera encore longtemps de nous, c'est l'affaire Dreyfus et le vieil antisémitisme français, c'est Vichy et la collaboration, c'est le colonialisme et la torture en Algérie, c'est à présent le néocolonialisme en Afrique et le racisme et l'islamophobie en France. Jetez les yeux sur le programme d'un col-

1. Meg Bortin, « Photo exhibit shows Paris under Nazi occupation, minus the misery », *International Herald Tribune*, 25 avril 2008.

loque d'historiens américains ou sur celui du congrès annuel de la « Modern Language Association », l'association des professeurs de langue, de littérature et de culture aux États-Unis. La grosse majorité des travaux qui portent encore sur la France farfouillent dans nos hypocrisies, nos intolérances, nos forfaits, nos crimes, depuis la Saint-Barthélemy et la révocation de l'édit de Nantes jusqu'à la loi sur le « foulard islamique » ou l'embrasement régulier de nos banlieues.

Sans cela, on n'existerait plus, on serait comme les Suisses. Imagine-t-on qu'une autre culture que la française fasse la couverture de *Time*, fût-ce de l'édition européenne : « La mort de la culture belge » ? « La mort de la culture serbe » ? Non, culture et France sont synonymes, veulent dire ce qu'on aime détester — ou encore ce qu'on déteste aimer, malgré l'affaire Dreyfus, malgré Vichy, malgré le général Aussaresses, dernière célébrité des campus. Cela me rappelle ce collègue de Genève qui enseignait à New York durant un semestre. Tous les jours, il lisait le *New York Times* de la première à la dernière ligne : jamais un mot sur la Suisse. Enfin, au bout de trois ou quatre mois, un article sur les banques de Zurich, complices des nazis dans le blanchiment de l'or dont les Juifs de l'Europe entière avaient été spoliés. Il en eut honte, mais il fut presque soulagé.

Nous n'avons rien de tel à craindre. Entre les procès de Paul Touvier et de Maurice Papon, l'amitié de François Mitterrand pour René Bousquet, les sorties récurrentes de Jean-Marie Le Pen sur le « détail », les responsabilités de la SNCF dans les déportations, le peu d'empressement mis par les conservateurs des musées français à rechercher les propriétaires légitimes des œuvres récupérées après la Seconde Guerre mondiale, tant que la France agacera le monde, en particulier l'Amérique, on ne nous lâchera pas. Bien sûr, ce n'est pas une raison pour cultiver nos vices et notre immoralité. Mais l'expérience semble établir qu'on peut nous faire confiance pour que nos mauvais penchants continuent de s'exprimer. La vraie mort de la culture française sur la scène internationale, ce sera quand le monde cessera d'aimer abominer la France, ce sera quand la culture française ne donnera plus de raisons qu'on aime l'abominer. Ne devenons donc pas trop bons, mais ce n'est pas demain la veille.

Table

Photocomposition Graphic Hainaut.
Impression Bussière
à Saint-Amand (Cher), en septembre 2008.
Dépôt légal : septembre 2008.
Numéro d'imprimeur : 082540/1.
ISBN 978-2-207-26044-9./Imprimé en France.

158557